Frida Nilsson

SOMMER MIT KRÄHE
(UND ZIEMLICH VIELEN ABENTEUERN)

Mit Bildern von Anke Kuhl

Aus dem Schwedischen
von Friederike Buchinger

 **GERSTENBERG**

Aufbruch

Letzten Sommer sind Krähe und ich in die Ferien gefahren. Es wurde ein unvergessliches Abenteuer.

Unser Plan war, durch die Wälder Värmlands zu trampen, um nach Krähes Mama und Papa zu suchen, zu denen er als junges Küken unfreiwillig den Kontakt verloren hatte. Krähe hatte in seiner Vergangenheit geforscht und seine Erkenntnisse führten uns in die Nähe der norwegischen Grenze. Dort wollten wir sein verlorenes Elternhaus ausfindig machen, nach dem er sich schon so lange sehnte.

Es war ein früher Morgen Anfang Juni und ich spazierte im Sonnenschein den Nygatsbacken hinauf. Ich fand es schön, so früh schon auf den Beinen zu sein. Schön, mit etwas Neuem zu beginnen, während alle anderen noch schliefen. Ich drehte mich um und schaute zu unserem Haus am Fuße des Hügels zurück, dem gelben, mit dem Turm auf dem Dach.

Ich hatte Mama und Papa einen Zettel auf den Küchentisch gelegt:

Krähe und ich sind jetzt erst mal weg. Krähe will seine
Familie finden. Wir reisen per Anhalter. Ihr wisst ja,
wie zuverlässig Krähe ist. Also macht's gut und seid
unbesorgt. Gruß und Kuss von Ebba

Natürlich würden Mama und Papa sich trotzdem ein bisschen Sorgen machen, aber eigentlich nur, weil Eltern nun mal so sind. Krähe und ich hatten schon viele Abenteuer miteinander erlebt, schließlich waren wir beste Freunde. Wir sind immer zurückgekommen, wenn es Zeit dafür war.

Ich ging am Blumenladen vorbei, am Sandwich-Café und am Schuhgeschäft. Alles war noch zu und die ganze Stadt schien noch zu schlafen. Oh, wie herrlich es sich anfühlte, all das Alte, Normale zurückzulassen.

Oben auf dem Hügel stand Krähe und strahlte. Er flatterte und riss den Schnabel auf, so wie er es immer machte, wenn er guter Dinge war.

»Wir gehen ins Industriegebiet und lassen uns von einem Lkw mitnehmen«, rief er.

»Okay«, sagte ich. »Glaubst du, das funktioniert?«

Krähe klimperte mit den Augen. »Ich weiß, womit man die Fahrer bestechen muss«, sagte er und machte ein Gesicht, als würde er in so einem alten Schwarz-Weiß-Gangsterfilm mitspielen.

Ich lachte. »Womit denn?«

Krähe sah sich um, als wollte er ganz sichergehen, dass uns auf der menschenleeren Straße auch niemand belauschte. Dann reckte er sich so weit zu meinem Ohr hoch, wie er konnte, und flüsterte:

»Mit Snacks. Lkw-Fahrer sind ganz verrückt nach Snacks, dafür tun sie alles! Wenn wir sparsam mit den Schokoküssen sind, kommen wir mit einer Packung locker bis nach Karlstad.« Er klopfte vielsagend auf seine Tasche.

Ich nickte und erklärte mich mit allem total einverstanden und dann machten wir uns auf den Weg ins Industriegebiet.

Unser Reiseplan sah so aus: Von zu Hause, also Örebro, nach Karlskoga, von Karlskoga nach Kristinehamn, von Kristinehamn nach Karlstad, von Karlstad nach Grums und dann weiter über Segmon, Årjäng und Töcksfors. Das war der direkteste Weg, wenn man an die norwegische Grenze wollte. Und wenn wir die erreicht hatten, würde die Jagd erst richtig losgehen. Die Jagd nach Krähes Eltern.

Im Industriegebiet war alles groß. Die Häuser dort waren zehnmal größer als normale Häuser, also solche, in denen man wohnt. Die Straßen waren so breit wie fünf gewöhnliche Straßen nebeneinander und die Laster waren viel dicker als die ganzen Volvos in der Innenstadt. Krähe und ich fühlten uns wie Gartenzwerge, die im falschen Karton gelandet und in den Amazonasdschungel statt in einen Schrebergarten verschickt worden waren.

Als wir die Lkw-Fahrer ausfindig gemacht hatten, wurde Krähe ernst. Er ging herum und sah sich die Männer gründlich an, um sich den passenden auszusuchen. Sie standen neben einem Stapel Paletten und unterhielten sich, ohne Krähe zu beachten, der bedächtig um sie herummarschierte und sie mit Kennerblick musterte. Schließlich entschied er sich für einen Kerl mit rötlichen Haaren und einem T-Shirt, auf dem *Carlsberg* stand. Krähe wühlte in seiner Tasche – es war ein Stoffbeutel mit langem Henkel, der mit einem verschnörkelten indischen Muster bestickt war – und zog eine Frühstücksdose und eine Saftflasche heraus. Er ging zu dem Rothaarigen.

»Hallo«, sagte er.

Der Mann schaute zu ihm herunter. »Oh, hallo da unten«, antwortete er mit einem belustigten Prusten und guckte dabei verstohlen zu seinen Kollegen. Es sah beinahe so aus, als wäre es ihm peinlich, dass Krähe ausgerechnet ihn angesprochen hatte.

»Jaaa … ähm«, fuhr Krähe mit Verkäuferstimme fort, »ich hätte da ein kleines Angebot für dich.«

Die anderen Fahrer feixten, als Krähe den Deckel der Brotdose aufklappte und seine Zimtschnecken präsentierte, als wären sie kostbare Diamanten. »Du bekommst eine Zimtschnecke und ein Glas Saft, wenn du uns an die norwegische Grenze mitnimmst«, sagte Krähe mit großzügiger Geste.

Die Fahrer brachen in brüllendes Gelächter aus. Sie grölten und johlten so laut, dass ich mir die Ohren zuhalten musste. Krähe wurde wütend und verstand gar nichts mehr. Er schaute den Carlsberg-Typen fragend an: Hatten sie jetzt eine Abmachung oder nicht?

Als der Mann genug gejohlt und sich die Lachtränen aus den Augen gewischt hatte, sagte er:

»Hihi, vielen Dank, Kumpel. Aber mit mir wird das heute nichts. Ich muss nämlich nach Stockholm.«

Krähe klappte den Deckel zu und schaute die anderen Fahrer an.

»Einer von euch vielleicht?«, fragte er. »Ich biete eine Zimtschnecke und ein Glas Saft. Und eventuell auch noch einen Schokokuss, aber dann dürfen wir bestimmen, welcher Radiosender während der Fahrt läuft.«

Die Lkw-Fahrer schauten murmelnd nach unten und dann verkrümelten sie sich einer nach dem anderen zu ihren Lastern. Keiner schien Krähes Supersonderangebot annehmen zu wollen. Er erhöhte das Gebot.

»OKAY, ZWEI GLÄSER SAFT! UND SCHOKOKÜSSE, SOBALD WIR AUF DER AUTOBAHN SIND!«

Die Männer verschwanden nach links und rechts in ihre Führerhäuser, die mit bunten Airbrush-Bildern bemalt waren: mit riesigen Wikingern, wilden Drachen und hübschen Frauen. Der Carlsberg-Typ ließ die Fensterscheibe herunter.

»Geht nach Hause, Kinder!«, rief er uns zu. »Ihr seid noch zu klein, um aus Spaß durch die Gegend zu trampen.«

Dann brummten alle Laster los und rollten aus dem Industriegebiet. Es knirschte und qualmte. Krähe schimpfte lauthals hinter ihnen her.

»SELBST SCHULD, WENN IHR NACHHER LUST AUF EINEN SNACK BEKOMMT! DANN HABEN WIR SAFT UND IHR NICHT!«

Er seufzte und drehte sich zu mir um. »Carlsberg«, knurrte er. »Heutzutage muss es wohl Bier sein.«

Wir setzten uns auf eine Frachtkiste. Inzwischen stand die Sonne schon ein ganzes Stück höher am Himmel. Krähe schluckte und kramte in seiner Tasche mit dem indischen Muster. Er holte einen zermatschten Schokokuss heraus.

»Der hier ist sowieso nicht mehr zu gebrauchen«, sagte er. »Sollen wir ihn teilen?«

Er knispelte mit dem Schnabel. Dieses Knispeln war typisch Krähe. Es sah lustig aus, als würde man versuchen, mit einer verbogenen Schere zu schneiden. Ich kannte sonst niemanden, der so lustig knispelte.

Wir aßen schweigend. Krähe leckte sich einen kleinen Schaumklecks von der Flügelspitze und zog die Nase hoch.

»Genauso gut können wir wieder nach Hause gehen«, sagte er enttäuscht. »Wir werden nie an die Grenze kommen und meine Eltern werde ich auch nie wiederfinden.«

»Was? ... Doch, natürlich wirst du das!«, sagte ich.

»Nee!«, sagte Krähe. »Uns nimmt ja keiner mit! Die Fahrer sind alle zu geizig! Ich werde die Schokoküsse in den Kühlschrank legen und meine Familie vergessen!«

Ich wusste nicht, was ich sagen sollte. Er tat mir so leid.

Krähe hatte eigentlich immer nur sich selbst gehabt. Er kam oft zum Essen zu uns nach Hause, zu Mama, Papa und mir, und das erinnerte ihn jedes Mal an seine eigenen Eltern. Dann fragte er sich, wie sie wohl aussahen, wo sie waren und solche Sachen.

Bei Krähen kommt es manchmal vor, dass sie eines Tages einfach davonfliegen und ihre Familie verlassen. Aber als Krähe versehentlich aus dem Nest gefallen war, war er noch so klein gewesen, dass er sich überhaupt nicht mehr daran erinnern konnte, wer er eigentlich war. Jetzt wohnte er auf dem Dachboden eines baufälligen Hauses in der Fabriksgata und ein Schwarz-Weiß-Foto war das Einzige, was ihm aus seiner Kindheit geblieben war. Auf diesem Bild beruhten all seine Nachforschungen. Es zeigte ihn, wie er als ganz kleines Küken auf einem Stein saß, auf dem zwei Pfeile waren: über dem einen stand *Schweden* und über dem anderen *Norwegen*. Die schwedisch-norwegische Grenze. Das Foto war unsere einzige Spur und Krähe hatte sich das ganze Frühjahr über gefreut. Aber jetzt hatte ihn alle Hoffnung verlassen.

»Wir gehen nach Hause«, sagte er.

Da hörten wir jemanden »Herrlich ist die Welt« pfeifen! In einer der Garagen lief ein Mann herum. Er hatte ein ordentliches Jeanshemd an und putzte die Felgen seines Lkw.

»Hm!«, murmelte Krähe. »Da hat sich wohl jemand verspätet.«

Der Mann wärmte seine Singstimme auf. »Hmm ... Hää ... Hm! Häälich ist die We-he-helt! Hääälich Gottes Himmel-leich! SCHÖÖÖÖN DEL SEEELE ... Oh, hallo, Fleunde!«

Er hatte uns gesehen. Er legte den Putzlappen beiseite und kam auf uns zu.

»Walum sitzt ihl hiel?«, fragte er.

Wir wussten nicht, was wir antwortete sollten. Der Mann

wirkte ein bisschen verdächtig. Er sah so … ordentlich aus. Schließlich bekam Krähe den Schnabel auf.

»Wir suchen eine Mitfahrgelegenheit.«

»Aha«, sagte der Mann. Er trug eine Hose mit Bügelfalten und glänzende Cowboystiefel. »Wollt ihl vielleicht mit mil fahlen? Odel hattet ihl vol, jemand andeles zu flagen?«

Krähe musterte den Fahrer von Kopf bis Fuß. Misstrauisch kniff er die Augen zusammen, dann sagte er:

»Wieso sprichst du so komisch?«

Oh, nein, Krähe, dachte ich. Immer so direkt. Jetzt bekommen wir sicher den Ärger unseres Lebens.

Aber der Lastertyp lachte nur. »Jahahaha, du«, sagte er. »Das liegt dalan, dass ich ein Ploblem mit dem Gaumensegel habe. Kann kein L sagen.«

Krähe schien skeptisch. »Kein L sagen?«

»Nein«, sagte ich. »R!«

Jetzt war Krähe total verwirrt. »Hä?«, quakte er.

»Kein R sagen«, erklärte ich. »Er sagt, dass er kein R sagen kann, aber das kann er nicht sagen, weil er ja kein R sagen kann.«

»Lichtig«, sagte der Mann. »Kein L sagen. Und? Wollt ihl jetzt mitfahlen odel nicht?«

»Bist du denn überhaupt ein Lastwagenfahrer?«, fragte Krähe streng.

Der Mann sagte, wir könnten aber so was von sicher sein, dass er Lkw-Fahrer sei, und dann sagte er, dass wir einsteigen sollten, wenn wir mitwollten, denn er habe eine Abfahrtszeit einzuhalten. Er stiefelte zu seinem Laster und kletterte ins Führerhaus. Ein Airbrush-Bild von Jesus am Kreuz prangte auf der Seite. Krähe sah mich an.

»Okay«, sagte ich und nickte und wir rannten schnell hinterher.

»Aber erzähl ihm nichts von den Snacks«, zischte Krähe. »Dann müssen wir ihm nichts abgeben!«

Und so brausten wir zusammen mit dem Mann, der kein R sagen konnte, über die Autobahn. Es machte Spaß, in einem Lkw zu fahren. Über dem Armaturenbrett hatte er eine kleine Kaffeemaschine und am Rückspiegel baumelte eine duftende Tanne aus Pappe. Außerdem gab es einen Zahnputzbecher und ein Kopfkissen, Knäckebrot und Kaviar, eben alles, was man zum Leben so braucht.

Krähe quengelte zum siebten Mal herum, dass wir die Hupe hören wollten, und schließlich gab der Mann nach und hupte mit der flachen Hand. *MÖÖÖÖP!*

»Wooohooo!«, jubelte Krähe. »Wir hupen am lautesten! Juhuu! Kräheeee!«

Der Fahrer schüttelte den Kopf. Er hatte wohl noch nie jemand getroffen, der so überdreht war wie Krähe.

Krähe dachte ein bisschen nach und fing dann an, in seiner Indientasche zu graben.

»Hrm«, sagte er. »Leider haben wir ja kein Bier dabei, das wir dir anbieten könnten …«

»Höhö«, lachte der Mann. »Weißt du, das macht gal nichts. Ne, ne.« Und dann erklärte er, dass er Abstinenzler sei und Bier eklig fände. Zufrieden packte Krähe seine Frühstücksdose aus. »Wie wäre es stattdessen mit einem Schokokuss und einem Schluck Saft?«, fragte er.

»Oh, das ist abel fleundlich«, freute sich der Fahrer. »Dalf ich mich dafül mit einem Engels-Chol elkenntlich zeigen??«

Und dann drückte er auf einen Knopf am Autoradio und aus den Lautsprechern strömte eine ganze Flut von Engelsstimmen und erfüllte das Führerhaus. Wir aßen, und als das Lied »Kinderglaube« kam, konnte Krähe sogar den Refrain mitsingen und riss voller Inbrunst und Sangesfreude den Schnabel auf.

Aber mit einem Mal verstummte er. Als hätte ihm jemand einen großen Korken in den Rachen gestopft. Eine ganze Weile saß er mit offenem Schnabel da. Dann drehte er sich zu mir um und sein Schnabel formte ein tonloses »Oje«.

»Was?«, mimte ich stumm zurück.

Krähe räusperte sich und warf dem Fahrer mit der ordentlichen Bügelfaltenhose einen verstohlenen Blick zu. »Ähm …«, murmelte er. »Da wäre eine Sache, die wir vergessen haben zu fragen.«

Der Mann drehte die Musik etwas leiser. »Nul laus damit«, sagte er.

»Also«, sagte Krähe, »und zwar, na ja … Wohin fahren wir eigentlich?«

Der Mann lachte und trat das Gaspedal durch. »Flankfult, Deutschland. Nonstop.«

Fest

Ich erstarrte. Mit erschrockenen Augen sah Krähe zu mir herüber. Ich sah ihm an, dass er fieberhaft nachdachte, ich glaubte schon, gleich Qualm aus seinem Kopf aufsteigen zu sehen. Er drehte sich wieder zu dem Fahrer um.

»Äh, mal ganz dumm gefragt … Nonstop, was bedeutet das?«

Ich schüttelte den Kopf. »Oh, oh, oh«, sagte ich. »Nonstop – ohne Stopp. Auf direktem Weg, ohne eine einzige kleine Pinkelpause. Wir werden schneller in Deutschland sein, als wir alle Verse von ›Kinderglaube‹ auswendig können!«

»Deutschland?«, schrie Krähe. »Deutschland? Ich habe keine Verwandten in Deutschland, das geht nicht!«

Der Fahrer guckte uns überrascht an. »Ihl wollt gal nicht nach Deutschland?«, fragte er.

»Nee«, sagte ich. »Leider nicht.«

Krähes Blick wurde glasig. »Ahhh, Ferien … falsch geplant …

Mama! Alles geht schief ...« Verzweifelt schlang er die Flügel um den Arm des Fahrers.

»Vielleicht können wir noch ein bisschen mitfahren ...«, schlug er ihm keuchend vor, »und dann legst du einen winzig kleinen Stopp ein, dort, wo man nach Norwegen abbiegt.«

»Nolwegen?« Der Fahrer war total baff. »Abel mein Fleund, wollt ihl etwa nach Nolwegen?«

Krähe nickte wimmernd.

»Nein, dalaus wild nichts!«, schimpfte der Fahrer. »Nolwegen liegt nicht auf dem Weg nach Deutschland!«

Wir waren am Boden zerstört. Der Tag, der so eine gute Wendung genommen hatte, drohte in einer Katastrophe zu enden. Deutschland stand nicht auf unserem Reiseplan, und zwar überhaupt kein bisschen. Wir würden am ganz falschen Ort landen.

Hartherzig gab der Mann weiter Gas, aber da bekam Krähe Panik. Er fing an, im Führerhaus herumzuklettern wie ein wild gewordener Krebs. Er turnte auf die Fahrerseite hinüber, sodass der Fahrer kaum noch lenken konnte. Der Mann versuchte, ihn abzuschütteln, als wäre Krähe ein aufdringliches Klammeräffchen, aber ohne Erfolg. Jammernd drückte Krähe seinen Schnabel an die Scheibe.

»Ich sehe nichts mehl!«, schimpfte der Fahrer. »Höl auf helumzuklettern!«

Krähe wurde immer so anhänglich, wenn er nervös war, er

konnte nichts dagegen tun. Der Fahrer trat noch ein paar Minuten lang weiter entschlossen aufs Gas, aber schließlich gab er sich geschlagen und fuhr an einer Raststätte raus. *Restaurant* stand auf einem grellbunten Schild.

»Schnell jetzt«, sagte er unruhig. »Auf einel Nonstop-Toul dalf ich eigentlich nicht anhalten.«

Wir stiegen aus. Ich bedankte mich trotzdem für die Fahrt, aber Krähe stapfte einfach weg, noch immer ganz durcheinander, und murmelte etwas von ruinierten Plänen.

»Das war schade«, sagte ich zu Krähe, der sich an den Straßenrand gestellt hatte. »Er war ja eigentlich sehr nett.«

Wir schauten uns an.

»Ja, dann heißt es jetzt wohl trampen«, sagte ich und hob den Daumen in die Luft. Krähe machte es mir nach, so gut es eben ging. Die Autos rauschten vorbei. Sie fuhren superschnell, ohne auch nur ein kleines bisschen abzubremsen, um wenigstens mal zu gucken, was Krähe und ich für welche waren. *Wrr-OOO-mm! Wrr-OOO-mm! Wrr-rr-OOOmm!* Auto um Auto um Auto. Es staubte und kleine Steinchen flogen durch die Luft. Im Windzug der größeren Lastwagen fiel es Krähe schwer, das Gleichgewicht zu halten. Er holte seinen Bestechungssaft aus der Tasche und versuchte, lässig mit der Flasche in dem einen Flügel zu posieren, während er mit dem anderen Flügel das Tramperzeichen machte.

»So kapieren sie vielleicht, dass es hier was zu verdienen gibt«, sagte er und winkte den Autos zu.

Hoffentlich halten sie ihn nicht für einen Schluckspecht, der den Daumen nur hochhält, weil er den Schnaps so klasse findet, dachte ich.

Niemand hielt an. Krähe winkte und winkte und achtete sorgfältig darauf, dass das Etikett gut zu sehen war.

»Himbeere!«, rief er und zeigte darauf. Endlich bremste ein alter, pyjamablauer Saab. Die ältere Dame hinter dem Lenkrad lächelte.

»Was kostet die Flasche?«, quäkte sie gönnerhaft. Sie dachte, wir wollten den Saft verkaufen. Krähe verlangte fünfhundert Kronen. Da gab die Alte Gas, ohne auch nur Tschüss zu sagen. Wir seufzten.

»Eigentlich braucht man ein Schild, auf dem das Reiseziel steht«, sagte ich. »Damit die Autos sofort wissen, ob es sich überhaupt lohnt anzuhalten.«

Krähe wühlte in seiner Tasche. »Die Rückseite von der

hier?«, fragte er und hielt die leere Schokokuss-Schachtel hoch.

»Gut«, sagte ich und Krähe kramte auch noch einen ange-kauten Bleistiftstummel heraus.

»Was sollen wir schreiben?«, fragte er. »Norwegen?«

Ich überlegte. Eigentlich wollten wir ja nur an die Grenze.

»Wenn wir Norwegen schreiben«, sagte ich, »dann geraten wir am Ende wieder an so einen Nonstop-Typen, der uns wo-möglich erst in der Finnmark wieder aussteigen lässt.«

Krähe schauderte. »Wie wäre es mit Värmland?«

»Die Sache ist die, dass wir hier vielleicht schon in Värmland sind. Wir wissen ja nicht, wo der Fahrer uns abgesetzt hat, und Värmland ist ganz schön groß. So wie ich es sehe, müssen wir an die norwegische Grenze. Wobei es uns auch schon helfen würde, nach Kristinehamn oder Karlstad oder in irgendeine andere Stadt zu kommen, die auf unserem Reiseplan steht und näher an der norwegischen Grenze ist als dieser Rastplatz.«

Krähe stimmte mir zu und dann schrieb er los. Die Schoko-kuss-Schachtel war ziemlich klein, deshalb musste er die Buch-staben dicht aneinanderquetschen.

ZurnorwegischenGrenzeoderso stand am Ende da. Er krit-zelte noch *Himbeersa* darunter, dann war auch das letzte Fitzel-chen Pappe vollgekrakelt. Die Schrift war unleserlich, aber Krähe hob das Schild trotzdem mit entschlossener Miene in die Luft.

Als es langsam dämmrig wurde, gaben wir auf. Ich war total erschöpft und Krähe auch.

»Lass uns nachschauen, wie es in der Raststätte aussieht«, gähnte er.

Wir gingen zu dem Restaurant. Es hatte inzwischen geschlossen. Alles war dunkel. Ich spähte durch ein großes Fenster ins Innere.

»Was siehst du?«, rief Krähe. Er hielt es keine Sekunde aus, etwas nicht zu wissen, nicht mal dann, wenn es total uninteressant war. Ich hob ihn hoch, damit er selbst in den Speiseraum gucken konnte. Die Möbel waren im Holzfällerstil gehalten. Baumstämme dienten als Tischfüße und die Deckenleuchter waren alte Wagenräder. Jemand hatte sogar einen Plastikweihnachtsbaum auseinandergepflückt und die Zweige an Fensterrahmen und die Restauranttheke genagelt. Krähe gefiel, was er sah.

»Gemütlich«, lobte er.

Ich setzte ihn wieder ab und fand es auf dem Rastplatz plötzlich doch ein bisschen unheimlich. Alles war so einsam. Die Autos fuhren nicht mehr so dicht hintereinander, ich war müde und fror.

Wir gingen zur Rückseite des flachen Gebäudes. Hier türmten sich Konservendosen, überall hingen lange Toilettenpapierfetzen herum und dazwischen entdeckte ich sogar einen Wurstzipfel. Hier konnte man unmöglich schlafen.

Wir sahen uns hilflos an. Weder Krähe noch ich wollten vorn an der Straße liegen, wo wir für jeden zu sehen wären. Dann hätte uns vielleicht irgendein dummer Nonstop-Fahrer nach Deutschland entführt und in einem Zirkus ausgestellt.

Krähe jammerte. »Ich bin müde«, sagte er, »wir müssen irgendwas finden, wo wir muckern können!«

Ich sah mich um und mein Herz machte einen Satz. »Schau mal!«, sagte ich und zeigte zum Restaurant. Krähe schnappte nach Luft. Eins der Fenster stand offen.

»Wenn wir vorsichtig sind …«, setzte ich an, aber da war Krähe schon oben auf der Fensterbank. Er war über einen Mülleimer nach oben geklettert und jetzt gab ich seinen Schwanzfedern den letzten Schubs und er war drinnen. Dann kletterte ich hinterher.

»Wir dürfen kein Licht anmachen!«, flüsterte ich. Komisch, dass man im Dunkeln immer flüstert.

»Natürlich nicht«, sagte Krähe superlässig. Er hatte sich in seiner bestickten Indientasche verheddert, versuchte aber trotzdem, gangstermäßig cool zu wirken.

Der Mond schien direkt durch die großen Fenster. Wir friemelten ein paar Plastiktannenzweige von der Theke und bauten uns damit unter dem Tisch in der hintersten Ecke ein Lager. Krähe war glücklich.

»Kuschelig!«, brummte er und wackelte mit dem Po.

Wir sagten Gute Nacht und kuschelten uns aneinander.

Aber schon nach einer Sekunde machte es *Knurr. Knurr-Knorrknarr. Knurr-Knurr-Knorr-Knarr.* Als würde eine Dampfwalze über einen alten Holzboden fahren. *Kn-aa-rr.*

»Krähe!«, sagte ich seufzend.

»Ich kann nichts dafür! Ich habe einen Bärenhunger!«, jammerte er.

Mein Bauch würde wohl auch bald anfangen zu knurren. Wir hatten jeder nur zwei Schokoküsse gegessen und jeweils eine halbe Zimtschnecke. Den Rest hatte der Typ im Jesuslaster verdrückt, zu Krähes großem Verdruss.

Armer Krähe. Ich hatte nicht mal Kaugummi in der Tasche. Irgendwie fühlte ich mich verantwortlich, obwohl ich seine Freundin war und nicht seine Angestellte. Ich schaute mich in dem schummrigen Raum um. Und da endlich machte es *Klick* in meinem Kopf!

»Krähe!«, keuchte ich. »Hast du mal darüber nachgedacht, wo wir sind?«

»Unter einem Tisch?«, antwortete er leidend.

»Ja, aber unter was für einem Tisch?«

»Ich weiß nicht? Einem aus Mahagoni?«, fiepte er. Er hatte gar nichts kapiert.

»Komm«, sagte ich und zog ihn mit mir durch den Speiseraum und hinter der Theke vorbei in die Restaurantküche.

Und dann gab es ein richtiges Festmahl!

Krähe bestand darauf, sich eine Schürze umzubinden, obwohl sie dreimal länger war als er selbst. Er rutschte und stolperte bei jedem Schritt, während er fieberhaft herumrannte und Pfannenwender aussuchte. Wir hatten uns für Neunzig-Gramm-Burger mit allem und Nuggets entschieden. Ich wühlte in dem großen Kühlschrank und holte Essiggurken, Tomaten, Salat, Zwiebeln, rosa Dressing, orangen Käse (fertige Scheiben in Plastikfolie), Ketchup und Senf heraus. Krähe stand am Herd und briet die Burger.

»Soll ich die Fritteuse anschalten?«, fragte ich. Krähe gab mir mit einer fachmännischen Geste das Okay und ich holte das Öl. Es gab einen großen Grill, auf dem man die Sesambrötchen knusprig toasten konnte, und neben meinem Berg von Nuggets belegte Krähe geschickt einen dampfend heißen Hamburger. Dann machte er noch einen für sich fertig und wir setzten uns jeder mit seinem Teller auf dem Schoß auf die Arbeitsplatte.

»Warte!«, sagte ich und stellte meinen Teller noch mal ab. Ich sprang auf den Boden und rannte nach vorn ins Restaurant an den Tresen.

»Cola, Fanta, Sprite oder lieber Saft oder Wasser?«, rief ich.

»Halb Cola, halb Fanta!«, rief Krähe zurück. Er nahm immer halb-halb. Ich entschied mich für Cola.

Nach dem Essen waren wir pappsatt. Ich musste sogar ein paar Nuggets und die untere Hälfte des Brötchens liegen lassen.

25

Krähe stopfte alles in sich hinein, plus meine übrig gebliebenen Nuggets. Dann sah er aus, als wäre er seekrank geworden. Mit trüben Augen rutschte er von der Arbeitsplatte herunter und wankte aus der Küche.

»Muss schlafen …«, stöhnte er.

Ich spülte und räumte alles wieder auf. Dann schlich ich in den Speiseraum und legte mich zu Krähe unter den Tisch, der nie und nimmer aus Mahagoni war. Krähe säuselte und schnorchelte leise im Tannengrün. Ich mochte es, ihm beim Atmen zuzuhören. Er machte so winzige, schnelle Atemzüge. Das lag daran, dass er selbst so klein war. Kleiner Krähe. Oh, ich war so froh, dass er keinen Hunger mehr hatte.

Nach Karlstad

Ich wurde von einem Stiefel neben meinem Kopf geweckt. Es dauerte einen Moment, bis ich wieder wusste, wo ich war, aber dann weckte ich Krähe. Der Speiseraum war erfüllt von Stimmengewirr und dem Scharren von Stühlen.

»Krähe«, flüsterte ich. »Krähe, wach auf!«

Krähe fuhr zusammen. »Nuggets!«, quiekte er verwirrt und setzte sich ruckartig auf.

»Pssst!«, sagte ich. »Du hast geträumt.« Ich zeigte auf die Stiefel neben uns. »Das Restaurant hat geöffnet. Wir müssen raus und dabei ganz normal aussehen, damit niemand merkt, dass wir hier geschlafen haben.«

Krähe nickte und rieb sich den immer noch satten Kugelbauch. Wir spähten nach oben. An unserem Tisch saß ein Geschäftsmann und schaufelte Spiegeleier und Speck in sich hinein. Er hatte etwas Eigelb im Schnauzbart kleben.

Ich warf Krähe einen Bist-du-bereit-Blick zu. Dann formte

ich stumm das Wort »los!« und wir krochen unter dem Tisch hervor. Der Speckmann war so baff, dass er sich fast die Gabel in den Hals gepikt hätte. Er sah aus wie ein beleidigtes Walross, mit diesem borstigen Schnäuzer und dem Eigelb, das immer weiter tropfte, aber wir taten einfach so, als wäre nichts, und schlenderten so unauffällig wie möglich zwischen den Tischen davon.

»Jetzt brauchen wir nur noch jemanden, der uns mitnimmt«, sagte ich. »Wir sind schließlich immer noch im Tramperurlaub. Benimm dich normal!«

Wir schlichen herum und musterten die Gäste.

»Jetzt frag schon jemanden«, flüsterte Krähe.

»Frag du doch!«, zischte ich.

Er schüttelte den Kopf. »Ich traue mich nicht«, sagte er. »Die sehen alle so selbstbewusst und grimmig aus.«

Es saßen viele Lkw-Typen an den Tischen. Bah, was hatte ich diese Kerle satt. Plötzlich zuckte Krähe zusammen.

»Ich weiß, was wir machen!«, sagte er. »Wir verstecken uns in einem Anhänger! Dann kann der Fahrer nicht Nein sagen, weil er gar nicht weiß, dass wir da sind!«

Das war eine großartige Idee. Der Haken war nur, jemanden zu finden, der ganz sicher an die norwegische Grenze musste. Ich ging zum Tresen, um herauszufinden, ob die Bedienung nützliche Informationen für uns hatte. Krähe trudelte hinterher.

»Hrm, hrm. Entschuldigung?«, sagte ich.

Die Bedienung sah mich an. »GRÜTZÄÄÄ!«, brüllte sie so laut, dass ich den Luftzug in meinen Haaren spürte. Krähe und ich warfen uns einen erschrockenen Blick zu.

Ein Mann in brauner Lederjacke schlurfte an den Tresen und holte sich den Teller Hafergrütze ab, den die Bedienung in der Hand hielt.

»Ja?«, sagte die Bedienung gelangweilt zu mir. Sie hatte mindestens zehn Ohrringe in jedem Ohr.

Ich fragte vorsichtig, ob sie vielleicht, möglicherweise einen Lkw-Fahrer kenne, der zufällig auf dem Weg nach Värmland und von dort weiter nach Westen sei? Eventuell?

Die Bedienung holte tief Luft, als müsste sie für zwanzig Minuten unter Wasser tauchen. »HEEEE! FÄHRT EINER VON EUCH NACH KARLSTAD?!«, brüllte sie.

Drei Fahrer streckten gehorsam die Hände in die Luft.

Hurra!, dachte ich. Karlstad ist auf jeden Fall die richtige Richtung! Karlstad steht auf dem Plan!

Ich schaute Krähe an, der vor Freude hopste. *Klick-klick-klick*, machte es. *Klick-klick, klicka-klick.* Ich mochte dieses Geräusch. Wenn jemand anderes vor Freude springt, dann klingt es wie *fump-fump* oder *rums-rums.* Aber Krähes Füße klickerten.

Wir lungerten noch eine Weile am Tresen herum, um abzuwarten, welcher der drei Fahrer als Erster fertig werden würde.

Einer mit Vollbart und Holzclogs stand auf, nickte der Bedienung zum Abschied zu und wackelte nach draußen. *Klappediklapp, klappedi-klapp* machte es, als er ging – wie ein müdes Pony. Krähe und ich flitzen ihm hinterher auf den Parkplatz.

Der Vollbart stieg klappernd hoch in einen riesengroßen Lkw, weiß und ohne Airbrush-Bild. Jetzt zählte jede Sekunde. Schnell, bevor der Typ den Motor anlassen und losfahren konnte. Ich rannte los, Krähe dicht hinter mir, die Indientasche flatterte neben ihm her. Hoffentlich gingen die Türen da hinten jetzt auch auf! Ich streckte die Arme aus, aber der Griff war zu hoch oben.

»Probier du es«, sagte ich und hob Krähe in die Luft. »Mach schon! Versuch, ein bisschen zu fliegen, dann kommst du bestimmt dran!«

Krähe konnte ehrlich gesagt nicht besonders gut fliegen – also, für einen Vogel. Er stellte sich beim Start immer so ungeschickt an, vor allem, wenn es schnell gehen musste. Jetzt sah er mit seinem verzweifelten Geflatter aus wie ein gestresster Verkehrspolizist.

Wrrr-ooo-oommm! Dröhnend sprang der Lastwagenmotor an.

»Beeil dich!«, schrie ich und sprang, so hoch ich nur konnte. Da endlich bekam Krähe den Griff zu fassen! Er klammerte sich fest und zappelte und zog mit aller Kraft. Langsam und knirschend bewegte sich der Hebel nach unten und dann schwang die Tür auf. Schnaufend rollte der Laster los. Ich schubste Krähe in den Anhänger und warf mich mit dem Oberkörper hinterher. Noch ein paarmal kräftig mit den Beinen Schwung geholt, dann hatte ich es auch geschafft. Ich griff nach der Tür und zog sie hinter mir zu. Tschüss, Rastplatz! Es wurde pechschwarz und der Lkw nahm Fahrt auf.

»Ebba? Wo bist du?«, flüsterte Krähe kleinlaut.

»Hier!«, flüsterte ich zurück. Ich tastete zwischen einer Menge Kartons herum und versuchte, ihn mit den Händen zu finden. Der Lkw-Motor dröhnte. Dann spürte ich Krähes Flügel im Gesicht.

»Juhuu!«, jubelte er. »Auf dem richtigen Weg! Im Dunkeln!«

Ich lächelte vor mich hin. Ich hoffte, dass wir schöne Ferien haben und Krähes Eltern wirklich finden würden. Er träumte schon so lang davon. Und jetzt waren wir wie geplant unterwegs nach Karlstad. Das bedeutete, dass die Teilstrecken Karlskoga und Kristinehamn abgehakt waren, obwohl wir nicht mal dort gewesen waren. Wir waren sehr effektive Tramper, mein Freund und ich.

Aber, hui, wie dunkel es hier war.

»Ich frage mich nur, woher man wissen soll, dass man in Karlstad ist«, sagte ich, »wenn man nichts sehen kann.«

Krähe teilte meine Sorge nicht. »Was ist in den Kisten? Ist es was Wertvolles?«, fragte er und machte sich an einem der Kartons zu schaffen.

In dem ersten waren Plastikschüsseln in beeindruckend vielen verschiedenen Größen. Und in dem zweiten, dem dritten und dem vierten bis hin zum siebten auch, bis ich ihm schließlich erklärte, dass das wahrscheinlich für alle Kartons galt. Krähe hörte auf, Kartons aufzureißen. Er seufzte.

»Wie kann man etwas so Überflüssiges wie diese Plastikdinger machen?«, murmelte er.

Darauf hatte ich auch keine Antwort.

Als der Laster endlich quietschte und schließlich zum Stehen kam, wurde ich hektisch.

»Jetzt müssen wir rausspringen«, sagte ich. »Sonst entdeckt uns der Fahrer. Er kann jeden Moment mit dem Ausladen beginnen.«

Krähe war derselben Meinung und ich tastete mich zur Tür vor. Aber da bemerkte ich, dass es auf der Innenseite keinen Griff gab! Man konnte sie nur von außen öffnen! Wir waren zwischen tausend Kisten mit Plastikschüsseln gefangen, bis der Typ kommen und uns erwischen würde. Ich wurde turbonervös. Krähe auch. Er fing an zu keuchen und auf meinem Schoß herumzuscharren.

Rums! Wir hörten, wie der Vollbart die Tür des Führerhauses zuschlug, und es vergingen ein paar unglaublich lange Sekunden. Dann machte es *quietsch-klonk* und schließlich strömte Licht in den Anhänger. Wir kniffen die Augen zu.

»Ahhh!«, schrie Krähe wie ein verwundeter Soldat. »Licht-schock!«

Ich hörte summendes, brummendes Stimmengewirr drau-ßen vor dem Lkw. Und schreiende Kinder und eine schrillende Fahrradklingel. Als ich es endlich schaffte, die Augen vorsichtig wieder aufzumachen, sah ich unseren Fahrer. Er stand vor uns und starrte uns an. Sein offener Mund war groß wie eine Ofen-klappe. Wir waren mitten in einer Einkaufsstraße voller Werbe-fähnchen und Menschen mit Plastiktüten, die entweder bum-melten oder hetzten. Ich schaute zu Krähe. Er hatte die Augen immer noch zugekniffen und sah aus wie eine kleine schwarze Rosine mit Schnabel.

»Also so was!«, ächzte der Mann. Er hatte gerade die ganzen aufgerissenen Kartons entdeckt, in denen Krähe nach Schätzen gesucht hatte.

»Laaauf, Krähe!«, schrie ich.

Aber Krähe konnte nicht. Er blinzelte wie ein alter Maul-wurf und versuchte herauszufinden, wo der Ausgang war. Ich schnappte seinen Flügel und stürmte vom Laster herunter. Hinter Krähe baumelte die Indientasche und als Letzter in der Kette holzschuhgaloppierte der wütende Lkw-Fahrer hinter uns her. *Klappedi-klapp, klappedi-klapp, klappedi-klapp.*

Wir sahen aus wie eine Familie, die an Heiligabend um den Weihnachtsbaum tanzt. Ich rannte im Zickzack zwischen alten und jungen Frauen, Wurstverkäufern, Kinderwagen, Händchen haltenden Paaren, Touristenfamilien und einem Jungen hindurch, dem ich aus Versehen sein Eis ins Gesicht klatschte, als ich mit ihm zusammenstieß.

»Tut mir leid! Entschuldigung!«, keuchte ich nach links und rechts.

Krähe hing an meiner Hand und behielt die Lage hinter uns im Blick. »Schneller«, rief er, »der Kerl ist zäh!« Dann versuchte er es mit einem Trick:

»Du!«, brüllte er. »Schau mal hinter dich! Die plündern dein Schüssellager!«

Der Typ bremste ab und drehte sich hastig um. Er starrte zu seinem Laster. Da war überhaupt niemand, der ihn beklaute, er war reingelegt worden. Aber als ihm das klar wurde, waren Krähe und ich schon längst weg.

Ich saß japsend auf dem Boden. Als der Fahrer nach hinten geschaut hatte, war ich in eine kleine Nebenstraße gehechtet und jetzt war ich fix und fertig. Krähe stolzierte wippend herum und spreizte die Schwanzfedern.

»Jaaaa!«, prahlte er. »Krähe! König der Ablenkungsmanöver! Dank mir haben wir es geschafft!«

Ich konnte nichts sagen, weil ich zu sehr außer Puste war.

»Wo sind wir denn jetzt?«, fuhr Krähe in strengem Mafiosi-Ton fort. »Sind wir in Karlstad, oder was?« Er sah sich um und dann streckte er einen Flügel aus und zeigte auf ein Gebäude. »Da ist der Bahnhof! Da gehen wir hin! Ich habe keine Lust, noch mal Laster zu fahren. Nie im Leben!«

Wir gingen zum Bahnhof. Und ja, wir waren in Karlstad. Am Ticketschalter fing Krähe an, mit der Frau hinter der Scheibe

herumzuzanken. Er versuchte, ihr zu erklären, dass wir Tramperferien machten und bedauerlicherweise nicht eine lausige Öre in der Tasche hätten, aber dass es unglaublich wichtig für uns sei, so schnell wie möglich an die norwegische Grenze zu kommen. Woraufhin die Frau sagte, dass sie da leider nichts für uns tun könne, weil sie hier nicht das Sagen habe. Krähe tobte und diskutierte. Er sagte, dass wir auch mit einem Sitzplatz auf dem Dach einverstanden wären, oder in der Lok oder in der ersten Klasse oder wo auch immer. Die Frau sagte zu allem nur »Nein, Nein, Nein« und schließlich fand sie, dass Krähe jetzt gehen solle, weil er zu nörgelig sei. Als Rache nahm Krähe sich gleich sieben Gratisbroschüren der Schwedischen Eisenbahngesellschaft mit und dann gingen wir nach draußen und setzten uns in die Sonne.

»Geizhalsbahn«, knurrte Krähe.

Er zog sein Foto aus der Tasche. Er sah niedlich darauf aus. Klein und glücklich. Brüllte mit weit aufgerissenem Schnabel denjenigen an, der das Bild gemacht hatte. Man konnte richtig sehen, wie er wütete, obwohl sich das Foto ja gar nicht bewegte.

»Die Grenze«, seufzte er. »Wie soll man denn jetzt da hinkommen?«

Ich reckte den Hals. Vor der Touristeninformation stand ein verwirrter Typ in Wanderschuhen. Er hatte einen hellblauen Rucksack dabei und blätterte in einem Buch. Dann schaute er auf den Plakataufsteller neben der Tür. Ich legte den Kopf schief und versuchte zu lesen, was auf seinem Buch stand: *Suédois*. Krähe hatte den Mann auch bemerkt.

»Ein Franzose!«, zischte er. »In Karlstad! Ha! Er sieht total verloren aus!«

»Mmm«, antwortete ich und kam auf die Beine. Ich hatte nämlich auch gesehen, was auf dem Plakat stand, das der Franzose zu entziffern versuchte.

»Komm«, sagte ich und dann gingen wir vorsichtig näher.

»Willst du Französisch mit ihm reden?«, flüsterte Krähe aufgeregt, aber darauf konnte ich ihm keine Antwort mehr geben, weil wir schon bei dem Mann angekommen waren.

»Hrm, pardong«, sagte ich und der Mann schaute mit einem erleichterten Lächeln hoch. Ich lächelte zurück und fragte ihn, ob er ein Problem habe. Bereitwillig erwiderte er, dass es sogar ein supergroßes Problem sei.

Wieder falsch

Es verhielt sich nämlich so, dass der Franzose eine richtige Touristenattraktion unternehmen wollte: mit der Fahrraddraisine durch die Wälder Värmlands fahren. Und tatsächlich stand auf dem Plakat auch, dass man hier Draisinen mieten konnte. Aber der Franzose war sich ein bisschen unsicher mit den Vokabeln und wusste nicht so genau, ob er hier wirklich richtig war. Doch, das war er, beruhigte ich ihn. Und bot ihm an, dass Krähe und ich ihn als seine persönlichen Fremdenführer ein Stück durch Värmland begleiten könnten, wenn er wollte. Vielleicht so ungefähr bis zu dem Abzweig, wo es zur norwegischen Grenze ging?

Der Franzose war überglücklich. Er bedankte sich tausendmal und lobte unsere Gastfreundschaft. Krähe sah verunsichert aus.

»Was brabbelt der da?«, fragte er schlecht gelaunt.

Der Franzose wedelte mit ein paar Geldscheinen und ging

nach drinnen, um zu bezahlen. Ich erklärte Krähe, dass wir auf der Ladefläche einer Fahrraddraisine – einer Art dreirädrigem Fahrrad auf Schienen – mitfahren würden, total gratis und in die richtige Richtung. Und es waren alte Gleise, auf denen keine Züge mehr fuhren, es war also kein bisschen gefährlich. Krähes Gesicht hellte sich auf und er wurde wieder munter.

Der Franzose wollte im Supermarkt Proviant einkaufen. Krähe und ich fanden das eine gute Idee. Eine Reise durch den Wald ohne etwas Leckeres zu knabbern war schließlich geradezu sinnlos. Der Franzose kaufte eine französische Brietorte und Limonade. Dann wollte er noch etwas Einheimisches haben, schließlich war er Tourist. Er entschied sich für eine Blechdose mit Pfefferkuchen vom Vorjahr und eine Tube Kaviarcreme. Krähe empfahl ihm, das Ganze mit einigen original schwedischen Süßigkeiten zu vervollständigen. Dankbar befolgte der Franzose seinen Rat. Dann ging es los.

Es dauerte nicht lange, bis wir den Lärm der Stadt hinter uns gelassen hatten, denn der Franzose hatte eine gute Kondition. Um uns herum war es still und ruhig. Das Einzige, was wir hörten, war das Rauschen des Windes und das *Swisch-Swisch* der Draisine. Wir flogen nur so zwischen den stattlichen hohen Tannen dahin.

Krähe und ich legten uns mit den Köpfen auf den großen

Rucksack und schauten in den Himmel. Wie ein schmaler, weißer Streifen kroch langsam der Mond hervor. Es war immer noch hell und wir lagen bequem, die Luft war kühl und das Atmen fiel leicht.

Krähe war tief in Gedanken versunken. Ich wusste, woran er dachte. Er lächelte versonnen vor sich hin. Dann setzte er sich auf und warf sich ein Stück Minzschokolade in den Schnabel.

»Erinner mich daran, dass ich meine Schuhe anziehe, bevor ich meine Eltern begrüße«, sagte er schmatzend.

Ich zog die Augenbrauen hoch. »Seit wann hast du denn Schuhe? Du hast ja nicht mal eine Hose oder einen Pullover.«

Da nahm er seine Indientasche und zog ein Paar Schuhe heraus, die er die ganze Zeit mit sich herumgetragen hatte. Es waren schwarze Lackschuhe mit Schnürsenkeln und allem Pipapo.

»Schick«, sagte ich beeindruckt. »Sind die bequem?«

Krähe zuckte die Schultern.

»Für Schuhe ganz okay«, sagte er und packte sie zurück in die Tasche.

Wir aßen die Pfefferkuchen und die Süßigkeiten auf. Der Franzose war einfach nur dankbar und sagte lauter nette Sachen über Schweden. Dann machten wir es uns wieder gemütlich. Krähe gähnte, es war bestimmt schon spät. Der Mond dort oben verschwand hinter einer Schleierwolke. Irgendein Vogel machte Piep. Krähe knarzte leise beim Einschlafen. Die Draisine rasselte … Und dann plötzlich! Ein Krächzen hallte durch den Wald, weit weg, aber deutlich zu hören. Eine Krähe hatte gerufen! Mein kleiner Krähe, der fast geschlafen hatte, schoss in die Luft wie ein Silvesterböller.

»STOOOOPP!«, schrie er.

Ich zog die Notbremse. Mit einem Ruck blieb die Draisine stehen. Der Franzose kapierte gar nichts, aber er wartete gehorsam ab. Wir lauschten. Der Wind rauschte in den Tannen … Irgendwo klopfte ein Specht … Krähe war superkonzentriert und total angespannt, aber es kam kein Krächzen mehr. Er reckte den Schnabel in die Luft und rief selbst.

»Krächz!« Er lauschte einen Augenblick, dann versuchte er es noch einmal. »Krächz! Mama!« Er bekam keine Antwort.

»Vielleicht haben wir uns verhört«, sagte ich. »Vielleicht ...
war es eine Motorsäge.«

Krähe schluckte. Einen Moment saß er stumm da und
lauschte. Dann knispelte er mit dem Schnabel und sagte: »Ja,
vielleicht.«

Ich gab dem Franzosen ein Zeichen und wir zischten weiter.
Durch die Wälder Värmlands auf der Jagd nach Krähes Eltern.

»Ta-daaa!«

Wir wurden vom Trompeten des Franzosen geweckt. Ich
rieb mir den Schlafsand aus den Augen und sah ihm blinzelnd
dabei zu, wie er im Sonnenlicht saß und mit den Armen herum-
fuchtelte. Neben den Schienen stand ein Schild.

Willkommen in Munkfors stand darauf. Und darunter in
Englisch: *You are in friendly Munkfors.*

Oh nein! Dieser schnelle Franzose! Er musste die ganze
Nacht durchgestrampelt sein!

»Munkfors!«, gähnte Krähe neben mir. »Sind wir bald da?«

Oh, oh, oh. Um diese Zeit hätten wir längst da sein können.
Wenn der Franzose in Karlstad den richtigen Abzweig genommen hätte.

»Nee«, sagte ich. »Der Franzose hat sich verfahren. Von hier
aus ist es noch ein gutes Stück bis zur Grenze. Wir müssen wohl
absteigen.«

»Verfahren?!«, schrie Krähe mit wildem Blick. Er starrte den

42

verwirrten Franzosen an und versuchte zu begreifen, dass wir es zum zweiten Mal an weniger als einem Tag geschafft hatten, in die falsche Richtung zu fahren. Ganz und gar nicht nach Plan.

»Verfahren?!«, schrie er noch mal.

»Ja!«, sagte ich. »Ein bisschen.«

»Blödian-Französian!«

Krähe war kein bisschen gnädig gestimmt. Ich machte ihn darauf aufmerksam, dass eigentlich wir beide die Aufgabe übernommen hatten, dem Franzosen den Weg zu zeigen, aber als Antwort knurrte Krähe nur. Er stopfte die Brietorte in seine Tasche und dann stiegen wir ab. Die Draisine verschwand im Wald.

Wir standen auf einer Lichtung mit freier Aussicht in alle Richtungen und nun machten wir die Augen auf und sahen uns um.

»Da unten liegt Munkfors«, sagte ich und zeigte auf einen entfernten kleinen Fleck mit Häusern.

»Stunkfors«, sagte Krähe und hielt weiter Ausschau. Dann machte er einen Satz. »Wir gehen zu dem Bach da unten und werfen Steine rein!«, rief er und wedelte mit dem Flügel.

»Mmm«, sagte ich. »Genau genommen kein Bach, aber von mir aus.«

Es war der Klarälv, den Krähe entdeckt hatte. Der Fluss war so groß und breit wie zwei Autobahnen und floss still und schön durch Värmland. Südwärts. Wir stapften den Hang hinunter bis zu der Straße, die sich am Ufer des Klarälv entlangschlängelte.

Krähe hob Steine auf und fing an, sie über das Straßengeländer zu werfen. Es war schwierig für ihn, sie so zu schleudern, dass sie im Wasser landeten. Mit dem Flügel konnte er nicht so gut Schwung holen. Die Steine flogen nach hinten oder fielen auf die steil abfallende Uferkante und kullerten und hopsten von dort nach unten.

»Schlechte Steine«, beschwerte er sich. »Ich muss die Tasche abstellen, die stört nur.«

Er zerrte sich die Tasche über den Kopf und legte sie auf den Boden. Dann hob er neue Steine auf und flatterte verbissen weiter. Ich ließ ihn machen.

Der Klarälv war schön. Breit und schön. *Klick, klick, klick* machte es, wenn es Krähe gelang, einen Stein über den Rand zu werfen. *Klick, klick*, aber nie *plumps*.

Während wir da so standen, brummte ein Bus auf der ansonsten leeren Straße heran. *Allans Seniorenreisen* stand darauf. Der Bus brauste an uns vorbei. Krähes Tasche wurde vom Fahrtwind mitgerissen, das Foto flog heraus!

»NEIN!«, schrie Krähe.

Krähes schönes, schönes Foto! Die einzige Erinnerung, die ihm aus seiner Kindheit noch geblieben war, und die einzige Spur, die wir auf der Suche nach seinen Eltern hatten. Er raste im Straßenstaub hinterher. Das Foto wirbelte durch die Luft wie ein widerspenstiger Schmetterling. Krähe schrie und jagte ihm panisch nach.

»Komm, komm, komm her! Flieg nicht in den Fluss, flieg nicht in den Fluss!«

Ich tat, was ich konnte, um das Bild daran zu hindern, im Klarälv zu landen. Wie ein Torwart stellte ich mich auf und winkte und wedelte, sobald es näher kam. Das war nicht leicht, denn der Klarälv ist viel breiter als ein Fußballtor. Vor allem von der Seite gesehen. Krähe flatterte und brüllte.

»Aaaaaaaaaaah!«

Dann erwischte er es. Für Krähen ist es ja ein bisschen kniffliger, wirbelnde Sachen festzuhalten, aber nun hatte er das Foto wieder sicher bei sich. Sorgfältig machte er es sauber. Ich ging zu ihm, er schluchzte ein bisschen.

»Weinst du?«, fragte ich.

Krähe drehte den Schnabel weg. »Nee«, sagte er. »Hab nur Staub in die Augen bekommen.« Er rieb sich mit den Flügeln übers Gesicht, zog kurz die Nase hoch und piepste leise. »Ich dachte, es wäre für immer weg.«

»Wie gut, dass du so schnell bist«, lobte ich ihn.

»Mm«, murmelte Krähe und holte tief Luft, so wie man es macht, wenn man etwas Schlimmes erlebt und ein bisschen feuchte Augen bekommen hatte. Vom Staub. Oder etwas anderem.

»Und was sollen wir jetzt hier?«, schimpfte er. »Wer will denn schon nach Munkfors?«

»Ach«, sagte ich, »das kriegen wir schon hin. Wir müssen einfach nur nach Westen, da in den Wald und dann immer geradeaus.« Ich zeigte auf die endlosen Weiten aus Wald, Wald und nochmals Wald, die, hmm ... wirklich sehr endlos waren. »Aber wenn wir unseren Reiseplan einhalten wollen, sollten wir zuerst zurück nach Karlstad und von dort aus zur Grenze.«

Krähe wollte lieber dem Reiseplan folgen, schließlich hatte er ihn ja gemacht. Ich fand es auch richtig, bei dem zu bleiben, was man beschlossen hatte. Sonst marschierte man lustig drauflos und landete am Ende vielleicht in Tomelilla.

Außerdem hatten wir beide keine Lust, ohne Karte oder Kompass durch halb Värmland und seine Wälder zu wandern.

Wir entschieden, dass es das Beste wäre, mit einer bequemen Reisemöglichkeit nach Karlstad zurückzufahren, um von dort aus den richtigen Weg einzuschlagen. Wie wir es geplant hatten.

»Aber wie?«, fragte Krähe missmutig.

Das wusste ich auch nicht. Außer *Allans Seniorenreisen* war nichts vorbeigekommen, wo man per Anhalter hätte mitfahren können. Nicht einmal ein Laster. Krähe hob noch ein paar Steinchen auf und warf sie über den Rand. *Klick, klick, klicketi, klicketi*, machte es. Und dann:

»Also, jetzt ist es aber wirklich mal GENUG!«

Eine wütende Stimme grollte von unten herauf. Krähe und ich starrten uns an.

Ebba, Krähe und Ester

Weder Krähe noch ich hatten bemerkt, dass das Steilufer des Klarälv gewissermaßen nach unten *und* innen ging. Wir hatten nicht einen Gedanken daran verschwendet, dass da jemand sitzen und Krähes Steine auf den Kopf bekommen könnte. Aber jetzt kletterte ein kleiner dicker Mann die Uferböschung hoch und tauchte hinter dem Geländer am Straßenrand auf. Er trug einen blauen Overall und hatte dicke Wangen, die schlackernd nach unten hingen.

»Na, wer findet es so wahnsinnig witzig, alten Männern Steine auf den Kopf zu werfen, hä?!«, schimpfte er. Er war genau so einer, der einen schon furchtbar einschüchterte, wenn er nur ein bisschen lauter wurde. Krähe duckte sich zu einem kleinen, schuldbewussten Federball zusammen. Der Alte schaute ihn böse an.

»Kannst du nicht aufpassen, wo du hinwirfst?!«, donnerte er.

»Entschuldigung«, piepste Krähe kleinlaut.

»Oder du musst eben lernen zu zielen«, meckerte der Alte weiter. »Dann landen die Steine auch im Wasser und nicht daneben. Da trifft ja meine Oma beim Boule-Spielen besser.«

Da war Krähe auf einmal gar nicht mehr kleinlaut. Gekränkt plusterte er sich auf.

»Was kann ich denn dafür, wenn du da unsichtbar herumsitzt und stundenlang angelst!«, schnarrte er. »Pass gefälligst selbst auf!«

Die Augen des Alten wurden schmal. Er stemmte die Hände in die Hüften und knurrte wie ein Hund. »Pah!«, sagte er. »Ich habe nicht geangelt! Aber das geht dich gar nichts an! Dumme Krähe!« Mit einem letzten Grunzen drehte er sich um und verschwand wieder nach unten.

Krähe schnaubte beleidigt. »Nee!«, war das Einzige, was er herausbrachte. »Nee-ne-ne!«

Jetzt wollten wir aber auf jeden Fall wissen, was der Alte da unten machte. Wir rannten ans Geländer und hängten uns so weit darüber, wie es nur ging. Dort unten stand ein richtiges Häuschen und leuchtete gelb in der Sonne. Es war eine ganz kleine flache Hütte mit einem Eiskiosk auf der einen Seite und einem großen Schild auf dem Dach. Auf der anderen Seite führte eine Treppe nach oben zur Straße. Wir flitzten sofort dorthin. Dass wir das nicht schon früher bemerkt hatten! Von der Treppe aus konnten wir sehen, was jemand in großen blauen Buchstaben auf das Schild geschrieben hatte:

DIE FLOTTE FLUSSFLOSSFLOTTE stand da. Daneben prangte ein brauner Klecks.

»Warum hat er denn da dieses Ding hingemalt?«, fragte Krähe.

Ich lachte. »Das soll ein Floß sein«, sagte ich. »Der Mann vermietet Flöße.«

Wir guckten uns an.

»Floßfahrten auf dem Klarälv sind ziemlich beliebt«, erklärte ich. »Man kommt ohne einen einzigen Ruderschlag bis nach Karlstad.«

Krähe wurde ganz kribbelig. »Nach Karlst... Mit dem Floß ... Den ganzen weiten Weg?«, stammelte er.

Ich nickte. Wir schauten zu der Veranda des Häuschens hinunter. Der Mann saß in einem Liegestuhl und knetete seinen Kautabak zwischen den Fingern. Es würde schwierig werden, sich mit ihm anzufreunden. Aber uns blieb nichts anderes übrig, als es zu versuchen. Eine solche Gelegenheit durfte man sich nicht entgehen lassen, nur weil man jemandem Steine auf den Kopf geworfen hatte.

Wir trippelten nach unten. Der Alte wischte sich gerade die Tabakreste von den Händen und starrte uns grimmig an. Er machte ein Gesicht, als würde er gerade eine ganz schlimme Fernsehsendung sehen. Uns blieb nichts anderes übrig, als uns einzuschmeicheln und ihm jede Menge Honig um den Blaumann zu schmieren. Krähe holte Luft.

»Du-huu …«, setzte er an. Der Alte knurrte und Krähe wich einen Schritt zurück. »Das funktioniert nicht«, zischte er. »Er ist zu sauer.«

»Ich versuche es mal«, flüsterte ich. »Vielleicht ist er nur unsicher, weil du eine Krähe bist.«

Ich schluckte und setzte mein breitestes Lächeln auf. Dann wagte ich mich ein paar Schritte näher an den Alten heran.

»Hrm, hrm«, räusperte ich mich. »Das mit den Steinen vorhin tut uns sehr leid. Krähe ist manchmal ein bisschen unerzogen. Ich glaube, das liegt an seiner Kindheit. Er ist gewissermaßen elternlos.«

Es schien zu klappen. Der Alte sah schon sanfter aus. Er schaute Krähe an, der sich alle Mühe gab, so verwaist wie möglich auszusehen.

Hurra!, dachte ich. Jetzt hieß es alles oder nichts.

»Jaaa«, flötete ich. »Und deshalb haben wir uns gefragt, ob du vielleicht ein Floß zu vermieten hättest …« Das Gesicht des Alten verdüsterte sich wieder. »Also, nur ein ganz altes, eins, das du nicht mehr brauchst!«, versuchte ich es weiter. »Es ist für eine gute Sache. Wir versuchen, Krähes Eltern aufzuspüren.«

Der Alte wirkte unbeeindruckt, er schien ein Herz aus Stein zu haben. Ich schaute verzweifelt zu Krähe hinüber. Zuerst sah er auch ratlos aus. Aber dann klapperte er mit dem Schnabel und sein Blick hellte sich auf. Er fing an, in seiner Indientasche zu kramen.

»Ähm …«, sagte er und wühlte weiter. »Wir würden uns gern mit einer echten französischen Torte dafür erkenntlich zeigen.«

Brillant! Die Brietorte, die Krähe dem Franzosen gemopst hatte! Krähe zog das runde, flache Paket aus der Tasche und ging damit zu dem Alten, der es entgegennahm. Mit strenger Miene begutachtete er die Brietorte. Sie war von der Marke Kolibrie. Er überlegte und überlegte. Dann endlich sagte er:

»Gut. Von mir aus könnt ihr die Ester nehmen. Sie hat nur ein paar Macken und hier und da blättert die Farbe ab, ansonsten ist sie in Topzustand! Aber in Karlstad knotet ihr sie ordentlich fest, verstanden!«

Wir jubelten. Das Floß, das uns auf den richtigen Weg zurückbringen würde, hieß Ester. Was für ein schöner Name! Ich spürte sofort, dass wir zusammengehörten, weil unsere Namen so ähnlich waren. Ester und Ebba. Und mein kleiner Krähe.

Das perfekte Trio, dachte ich, als ich dort auf dem Bootsanleger am Ufer des Klarälv stand.

Der Alte zeigte uns, wie alles funktionierte: wo das Ruder war, wenn man steuern musste, wo der Eingang zum Zelt war, wo man nicht sitzen und mit den Beinen baumeln durfte, weil es zu gefährlich war, und wo die Kapitänsmütze hing, wenn man aussehen wollte wie einer, der an Bord das Sagen hatte. Krähe probierte die Mütze sofort auf und vergaß wohl, sie wieder abzusetzen. Oh, wie froh wir waren! Wir lösten den Knoten, mit dem die Ester am

Anleger festgemacht war, und dann glitten wir davon. Wir schauten zurück zu dem Alten, der mit seinem Kolibrie im Arm am Ufer stand. Wir winkten, während er kleiner und kleiner wurde. Schließlich hob er den Arm und winkte zurück.

»Weißt du eigentlich, was eine Brietorte ist?«, fragte ich Krähe, als wir außer Hörweite des Alten waren. Krähe sah mich fragend an.

»Französischer Kuchen!«, sagte er, als wäre das ganz selbstverständlich. Ich schüttelte den Kopf.

»Nee«, sagte ich. »Brie ist Käse. Der heißt nur Torte, weil die Franzosen Käse genauso herrlich finden wie richtige Torten. Und soll ich dir noch etwas sagen? Es ist Schimmelkäse. Rundherum – obendrauf und untenrum und überall ist Schimmel. Schimmel, Schimmel, Schimmel.«

Krähe riss den Schnabel auf. Er starrte mich so lange mit aufgerissenem Schnabel an, dass ich schon dachte, er hätte sich den Kiefer ausgerenkt. Schließlich klappte er ihn wieder zu und sagte: »Der Alte wird ausflippen, wenn er merkt, dass er statt Sahnetorte einen Schimmelklumpen bekommen hat!«

»Vermutlich«, sagte ich.

Krähe dachte nach.

»Macht nichts«, sagte er. »Mir ist es nämlich schon schwergefallen, einfach so eine ganze Torte herzugeben. Aber jetzt ist es gar nicht mehr schlimm. Und außerdem haben wir das Floß.«

Da hatte er recht. Krähe und ich waren unter die Seefahrer gegangen. Die Ester hatte ein paar Macken im Lack, aber das fanden wir gerade hübsch an ihr. Rot. Beste Farbe überhaupt, da waren wir uns sofort einig. Krähe machte sich schick und zog auch noch seine Schuhe zu der Kapitänsmütze an. Er posierte und schauspielerte stumm vor sich hin, als er dachte, ich würde es nicht merken. Mir war gleich klar, dass er für das Treffen mit seinen Eltern übte.

Ich ließ den Blick über das Wasser schweifen, das uns vorwärts trug. Ruhig und schwer, langsam, aber stetig führte uns der Klarälv in die richtige Richtung. Ich seufzte zufrieden. Im Inneren der Wälder Värmlands war es schön, wirklich. Dunkel und schummrig. Voller Geheimnisse und fantastischer Verstecke. Es kribbelte in meinem Bauch, wenn ich an all die Gestalten dachte, die dort zwischen den Bäumen herumhuschten: Wölfe, Trolle und menschenscheue Waldarbeiter.

Krähe hatte behutsam seine geliebten Lackschuhe in die Tasche zurückgepackt und verschwand jetzt im Zelt.

»Hier drinnen sind Decken!«, rief er. »Und ein kleiner Campingkocher! Und Dosenwürstchen! Der Alte hat an alles gedacht, was man für eine stimmungsvolle Floßfahrt braucht!«

Wir füllten den Topf mit Wasser aus dem Klarälv und kochten die Dosenwürstchen. Zum Spülen mussten wir den Topf danach nur noch in den Fluss tauchen und ein paar Sekunden unter Wasser halten. Das durfte ich übernehmen, denn Krähe mochte es gar nicht, wenn sein Gefieder nass wurde.

Am späten Nachmittag – als die Sonne schon langsam unterging und ganz unglaublich orange leuchtete und man jedes winzige Tierchen herumschwirren und jeden hauchdünnen Spinnfaden in der Luft schweben sah – da musterte Krähe mich und sagte: »Deine Haare sind schmutzig.«

Ich befühlte meinen Pony. »Du hast recht«, sagte ich. »Das ist der ganze Straßenstaub.«

»Mmm«, sagte Krähe. »Sieht aus, als hättest du büschelweise Bleistifte auf dem Kopf.«

Ich schaute auf die weiche, dunkle Oberfläche des Klarälv. Dann stand ich auf und zog meine Hose und mein T-Shirt aus.

»Dann sollte ich wohl mal baden«, sagte ich und hob ein Seil auf, das an der Ester festgebunden war. Krähe wurde ganz aufgeregt.

»Baden?!«, rief er.

»Jepp«, sagte ich und knotete mir das Seil um den Bauch.

»Im Wasser?!«

»Ja, ich bin schließlich schmutzig«, sagte ich und sprang in den Fluss.

Oh, war das herrlich und kühl. Und still und brausend laut zugleich. Ich hielt die Luft an, solange ich konnte, um unter Wasser zu bleiben. Hier unten gab es nur mich und die Fische. Millionen und Milliarden Liter Wasser und ich, die mit Armen und Beinen ruderte und spürte, wie die Haare um den Kopf wogten. Ich tastete nach dem Knoten, um sicherzugehen, dass er auch ordentlich fest war. Dann war es Zeit, die Lungen wieder zu füllen. Wie eine Libelle, die vom Boden startet und in die Luft steigt, ließ ich mich an die Oberfläche schweben. Ich holte tief Luft. Krähe stand an Deck. Er hüpfte und schrie.

»Mach Kunststücke! Mach Kunststücke!«

Ich paddelte ein wenig mit den Beinen wie eine Kunstschwimmerin. Dann kletterte ich auf die Ester zurück und knotete das Seil wieder ab. Krähe hopste immer noch aufgeregt und glücklich herum.

»Du hast gebadet!«, rief er.

»Ja«, sagte ich. »Das war schön. Schade, dass du solche

Angst davor hast, Wasser ins Gefieder zu bekommen, sonst könntest du ja au...«

PLATSCH! Krähe war im Wasser. Er hatte die Mütze aufs Deck geschleudert und jetzt tauchte er wieder auf, mit wilden Augen und einem riesigen Lachen im Gesicht.

»Ich bade!«, jubelte er.

Ich bekam weiche Knie und einen eiskalten Kopf. »KRÄHE!«, schrie ich. »Krähe, du hast keine Leine umgebunden! Schwimm!«

Krähe erschrak. Er fing an zu rudern und mit den Flügeln zu schlagen. Ich warf ihm das Seil zu.

»Fang!«

Krähe keuchte und versuchte es. »Wo ist das Ende? Wo ist das Ende?«, rief er. »Ich habe Wasser in den Augen!« Er platschte und drehte sich, strampelte herum, als säße er auf einem kleinen Einrad, und geriet mit dem Kopf unter die Oberfläche. Mit lautem Krächzen tauchte er wieder auf.

»Schwimm!«, brüllte ich verzweifelt.

Aber er konnte nicht schwimmen. Das Einzige, was dabei herauskam, war ein wildes Gefuchtel. Entweder waren die Beine oben und zappelten auf der Stelle oder er schlug mit den Flügeln und verhedderte sich dabei mit dem Gesicht in seinem eigenen Gefieder. Er war vollkommen panisch und kläffte wie ein kleiner Pekinese.

Mein Herz hämmerte, als würde jemand in meiner Brust ein Bild an die Wand nageln. Was sollte ich tun? Mit ängstlichen

Augen winselte Krähe. Und dann verschwand er blubbernd unter der Oberfläche!

»Ebbaaa ... *blurp*!«

Verdammter Mist. Verdammter, verdammter Mist, ich musste etwas tun. Schnell. Ich fing an, das Seil wieder einzuholen. Es kam mir vor, als hätte ich fünf Jahre gezogen, bis ich endlich das Ende zu fassen bekam. Schneller als der Blitz knotete ich es mir wieder um den Bauch und dann sprang ich.

Dieses Mal war es überhaupt nicht herrlich mit dem Brausen und den Millionen und Milliarden Litern Wasser. Nur schrecklich. Ich schwamm und suchte mit den Händen. Ich versuchte, etwas zu sehen, aber es war zu dunkel. Wo war er? Überall war nur Wasser und ich musste schon wieder auftauchen, um Luft zu holen. Es war viel schwieriger, die Luft anzuhalten, jetzt, wo es wirklich darauf ankam. Ich atmete tief ein und dann tauchte ich wieder ab. Gleich würde sich das Seil straffen und dann musste ich das Floß gegen den Strom ziehen. Ich schwamm und tastete. Über mir, unter mir, vor mir, hinter mir, neben mir. Ich kämpfte und zog und suchte in der Dunkelheit. Kein Krähe. Ich tauchte wieder auf, um Luft zu holen, und hielt Ausschau. Wo war er untergegangen? Das Wasser sah überall gleich aus. Und der Klarälv stand ja nie still. Ich versuchte es mit Rufen.

»KRÄHEEEE!« Eine Sekunde verging, vielleicht zwei. »KRÄHEEEE, KOMM HOCH!«

Die Oberfläche war spiegelglatt. War er weg? Waren die Ferien vorbei? War Krähe tot?

Mir wurde ganz schwindelig bei dem Gedanken. Fast so, als hätte mir jemand mit einem Hammer auf den Kopf gehauen. Ich sah einen Ring aus weiß glitzernden Sternen über dem Wasser tanzen.

Sind das Todessterne?, dachte ich. Sterne, die man sieht, wenn jemand gestorben ist, den man liebt?

Die Sterne drehten sich und blitzten, dann hielten sie an und drehten sich plötzlich andersherum. Und dann tauchte inmitten der Sterne Krähe auf! War er etwa als Krähenengel zurückgekehrt? Er röchelte und hustete und dann war er still und schaukelte nur noch sacht in den Wellen.

»KRÄHE!«

Die Sterne verschwanden. Es war mein echter Krähe. Kein Engel! Lebenssterne! Krähes Kopf hing nach unten, sein Schnabel war unter der Oberfläche. Ich warf mich ins Wasser.

»Krähe! Krähe, ich hab dich! Geht es dir gut?!«, rief ich.

Krähe wimmerte zur Antwort. Ich war so glücklich. Die Lebenssterne waren erschienen und hatten mir gezeigt, wo Krähe war.

Mit Krähe fest in dem einen Arm paddelte ich mit dem anderen zurück zur Ester. Kurz darauf saßen wir wieder an Deck, Krähe mit der Kapitänsmütze auf dem Kopf, eingewickelt in eine große, graue Decke. Er schnatterte vor Kälte und piepste unglücklich. Ich war ganz zittrig vor nachträglichem Schreck und Wut.

»Du musst erst schwimmen lernen, bevor du ins Wasser springst!«, sagte ich, so hart ich konnte, meine Stimme klang ein bisschen schrill. Krähe fiepte. »Ich dachte, du wärst ertrunken!«, fuhr ich fort. »Ich dachte, du wärst tot! Man kann nicht einfach auf die Rettungsleine pfeifen!«

Krähe schlotterte in seiner Decke. Meine Stimme war zu brüchig, um weiterzureden. Eigentlich wollte ich ihn nur an mich drücken und ihm einen Kuss geben, aber ich musste jetzt streng bleiben. Sonst würde er nie lernen mitzudenken. Krähe war mein absolut liebster und bester Freund. Wenn er ertrunken wäre, wäre ich ganz bestimmt verrückt geworden. Er war einfach viel zu unvernünftig.

Wir glitten den Fluss hinunter und alles war wieder ruhig. Wasser tropfte von Krähes Kopf. Eine Weile schwieg er noch eingeschnappt, dann sagte er:

»Aber zumindest hatte ich eine Erscheinung.«

Die Ester schaukelte auf dem Klarälv.

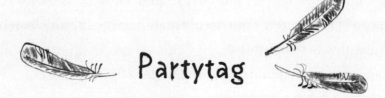

Partytag

Als Krähe untergegangen war und den Schnabel voller Wasser hatte, war ihm ganz schwindelig und schwarz vor Augen geworden. Und genau in diesem Moment waren Bilder in seinem Kopf vorbeigeflattert. Bilder von seiner Mama und seinem Papa und Sachen aus seiner Kindheit, die er eigentlich vergessen hatte. Eine fantastische Erscheinung von der Sorte, wie man sie nur erlebt, wenn man in Nahtodsituationen kommt.

»Ich glaube, das Foto von der schwedisch-norwegischen Grenze stammt aus einem Urlaub«, sagte er.

»Einem Urlaub!?«, keuchte ich.

Krähe nickte.

»Aber! Was? Wie kannst du …? Warum glaubst du das?« Ich wusste nicht, was ich sagen sollte. Wenn das stimmte, konnte das enorme Schwierigkeiten für unsere Suche nach Krähes Eltern bedeuten. Krähe knispelte mit dem Schnabel.

»Ich habe vor mir gesehen, wie mein Papa das Foto gemacht

hat und dass er dabei einen Touristenhut und bequeme Schuhe anhatte«, sagte er.

»Vielleicht hat das gar nichts zu bedeuten«, sagte ich mit so viel Überzeugung, wie ich aufbringen konnte. »Man kann ja auch zu Hause einen Touristenhut aufhaben.« Krähe beachtete gar nicht, was ich sagte.

»Mama hatte einen rosa Jogginganzug an und eine Thermoskanne dabei«, sagte er.

»Oh«, sagte ich. »Das klingt wirklich touristisch. Alsooo … wenn das stimmt, dann könnten sich dein Heimatort und deine Eltern so ungefähr überall auf der Welt befinden?«

Krähe schwieg. Er sah ernst und feierlich aus. Mit schwermütiger Miene schaute er zum Mond hinauf, dann sagte er:

»Ich glaube, ich bin Norweger.«

Mir fiel die Kinnlade runter. »Norweger?«

Krähe nickte aufgeregt. Er erzählte, dass er während dieser Erscheinung Norwegisch in seinem Kopf gehört hatte. Er hatte jedes einzelne Wort verstanden und außerdem gespürt, was für eine schöne Sprache Norwegisch war.

»Es klang wie Musik«, sagte er mit verträumtem Blick und Liebe in der Stimme.

Ich dachte nach. »Du glaubst also, dass ihr in den Ferien an der schwedisch-norwegischen Grenze wart, um die schwedische Seite kennenzulernen?«, fragte ich.

Krähe nickte wieder. Hurra! Dann waren wir trotzdem auf

dem richtigen Weg. Wir mussten immer noch an die schwe-disch-norwegische Grenze und von dort nur noch ein kleines Stück weiter. Oh, wie schön! Ich war schrecklich froh, dass Krähe nicht Chinesisch gehört hatte, das in seinen Ohren klang wie Musik. Ich stand auf und dann gab ich der Ester das Start-signal: »Auf nach Norwegen!«

Krähe jubelte und die Ester beschleunigte ihr Tempo.

Am nächsten Morgen kramten wir Angelgerätschaften aus einer hübschen Kiste heraus, die an Deck stand. Als Köder nah-men wir ein Dosenwürstchen und so saßen wir den Großteil des Tages da, hielten die Füße ins Wasser und warteten darauf, dass einer anbiss. Es ging uns kein einziger Fisch an den Haken, aber eigentlich wollten wir auch gar nichts fangen. Wir angel-ten nur um des Angelns willen.

Als es Abend wurde, sah ich weit vor uns in Fließrichtung des Klarälv etwas leuchten. Ich stand auf und spähte in die Ferne. Ja, tatsächlich.

»Nächster Halt: Karlstad!«, rief ich und holte meine Angel-schnur ein. Krähes Gesicht hellte sich auf.

»Schön«, sagte er und gähnte. »Ich freue mich darauf, heute Nacht bequemer zu schlafen.«

Er stand auf und ging zu seiner Tasche. Er setzte die Kapi-tänsmütze ab und dann stand er da und hielt sie nachdenklich in den Flügeln. Ich ging zu ihm.

»Wie meinst du das … ?«, sagte ich. »Was meinst du mit bequem?«

Krähe befand sich mitten in einem wilden Kampf mit sich selbst, ob er die Mütze auf der Ester lassen sollte, wie es sich gehörte, oder ob er sie heimlich in seine Tasche packen sollte, wie er es gern getan hätte.

»Luxushotel!«, antwortete er teilnahmslos, dann guckte er sich hastig um und machte Anstalten, die Mütze in die Tasche zu stopfen.

»Nein!«, sagte ich mit einer Wut, die urplötzlich in mir hochgeschnellt war wie ein Springteufel. »Die musst du hierlassen, wir haben das alles nur geliehen!«

Krähe seufzte und hängte die Mütze an den Haken zurück. Oh, manchmal konnte er so ungehobelt sein. Und dann ein Luxushotel! Was dachte er sich denn?

Als wir in Karlstad ankamen, dröhnte Musik aus allen Richtungen, Technoblitze und wummernde Bässe.

»Jaaa!«, schrie Krähe. »Freitag! Partytag!«

Wir knoteten die Ester ordentlich fest, wie wir es versprochen hatten, und sprangen an Land. Krähe sah sich nach links und rechts um.

»Perfekt«, platzte er heraus und stürmte los. Es war das Plaza, was er entdeckt hatte. *Hotel und Nachtklub,* informierte ein weiß-blaues Neonschild. Ich rannte hinterher.

Krähe marschierte geradewegs in die Lobby, wo sich, wie sich herausstellte, auch der Nachtklub befand. Vor der Bar standen hohe Stühle und auf der gegenüberliegenden Seite neben den Aufzügen war eine kleine Tanzfläche. Das Licht war gedämpft, es gab Plastikpalmen und die Luft war verraucht und voller Stimmengewirr. Leute in Anzügen glotzten uns an. Wahrscheinlich, weil wir nicht so luxushotelig aussahen wie alle anderen. Krähes Gefieder war stumpf, obwohl er es am Vortag ausgiebig eingeweicht hatte. Eine Troddel der Indientasche hatte sich aufgeribbelt und schleifte hinter ihm her wie ein Staubsaugerkabel. Ich selbst fühlte mich auch nicht mehr so frisch. Ich hatte ja überhaupt keine Wechselsachen auf die Reise mitgenommen. Krähe wurde stinksauer, als er bemerkte, wie wir angestarrt wurden.

»Was gafft ihr alle so?«, krächzte er. »Habt ihr noch nie eine Krähe gesehen, oder was?« Er ging an die Rezeption. Ein Mädchen mit einer schmalen, bescheidenen Goldkette versuchte zu lächeln.

»Ein Luxuszimmer!«, verlangte Krähe. »Schnell!«

Das Mädchen wirkte ein bisschen überrumpelt, aber sie schaffte es trotzdem, das Anmeldeformular hinzulegen, auf dem Krähe unterschreiben sollte, um den Zimmerschlüssel zu bekommen. Er buchstabierte:

»K – r – ä – h – e.«

Seine Unterschrift sah aus wie »Krätze«, aber ich sagte

nichts. Das Mädchen schob die Schlüsselkarte über die Theke und Krähe schnappte sie sich, ohne Danke zu sagen. Zimmer Nummer 704. Wir gingen zu den Aufzügen und mit einem ärgerlichen Seufzen hob ich Krähe hoch, damit er auf den Knopf für den siebten Stock drücken konnte. Ich setzte ihn ziemlich unsanft wieder ab. Als die Tür hinter uns zugegangen war und der Aufzug sich in Bewegung setzte, stemmte ich die Hände in die Hüften. Ich war supersauer.

»Krähe, wie in drei Kuckucks Namen sollen wir ein Luxuszimmer bezahlen? Hä?«, schimpfte ich laut. Krähe blieb stumm.

»Krähe?! Hast du auf einmal Geld, oder was?!« Er schüttelte den Kopf.

»Nein?«, fuhr ich fort. »Ich auch nicht! Wir hätten uns eine Parkbank zum Schlafen suchen sollen! Wir sind doch pleite!« Krähe sagte immer noch nichts. Er sah nur ein bisschen traurig aus und seufzte.

»Sie werden die Polizei rufen, Krähe!«, rief ich. »Was ist denn bloß in dich gefahren?!«

Er sah sich missmutig im Aufzugspiegel an. »Man wird so struppig, wenn man auf Draisinen, Flößen und Parkbänken schläft«, sagte er. »Ich wollte mich nur ein bisschen frisch machen. Damit sie nicht enttäuscht sind und die Tür gleich wieder zuschlagen, wenn sie mich sehen.«

Ich hatte keine Ahnung, wovon er da redete. »Wer? Die Polizei?«

Krähe schluckte und wühlte in seiner Tasche herum. Er holte das Foto aus seiner Kindheit heraus. Er betrachtete es gründlich und verglich es mit dem, was er im Aufzugspiegel sah.

»Damals war ich viel niedlicher«, sagte er. »Was, wenn sie Zweifel bekommen und die Verwandtschaft abstreiten?«

Ping! Die Fahrstuhltür ging auf. Ich bekam ein schlechtes Gewissen. Natürlich wollte er sich für das Wiedersehen so hübsch wie möglich machen.

»Komm!«, sagte ich. »Du und ich, wir werden uns jetzt luxusmäßig ins Zeug legen und aus dir den schicksten Piepmatz nördlich des Oslofjords machen. Deine Eltern werden vor Staunen aus dem Nistkasten fallen, wenn sie sehen, was für ein schönes Kind sie haben.«

Krähes Miene hellte sich auf. Wir gingen den apricotfarbenen, schallgedämpften Hotelflur hinunter und zählten die Türen. 701, 702, 703 … 704! Unser Zimmer. Wir öffneten und traten ein. Jetzt wurde in Schaum gebadet und mit allem gesprüht, was duftete! Um das Problem mit der Bezahlung würden wir uns später kümmern. Mit Betonung auf Problem, nahm ich an.

Es war wirklich ein luxuriöses Zimmer, das wir bekommen hatten. Krähe rannte sofort ins Bad, um nachzuschauen, ob es einen Whirlpool gab. Ich sah mich um. Das Zimmer war genauso apricotfarben wie der Rest des Hotels. Hotelapricot.

Willkommen, Herr Krätze, blinkte es auf dem Fernsehbildschirm in der Ecke. Ich schaltete den Fernseher aus, damit Krähe sich nicht in seiner Ehre gekränkt fühlte. Dann hopste ich ein bisschen zur Probe mit dem Po auf einem der Betten. Gute Federung, ziemlich weich. *Knips-knips*, die Nachttischlampe funktionierte. *Ssswisch*, die Schienen der Schranktüren waren gut geölt. Ja, hier gab es nichts zu meckern. Vor allem nicht, wenn man bedachte, dass wir bei der Abreise wohl kein Trinkgeld dalassen würden. Krähe klickerte im Badezimmer herum. Ich ging zu ihm. Er hatte sich schon einen der Hotel-Bademäntel angezogen, viel zu groß natürlich.

»Schau!«, rief er glücklich.

Ich wich erschrocken zurück. Krähes Stimme klang so schrill in dem sauberen, weißen Badezimmer. Er hing über dem Rand der Badewanne – sie hatte eine Whirlpoolfunktion – und drehte das Wasser bis zum Anschlag auf. Ich kippte Schaumbad dazu und Krähe ließ sich hineinplumpsen. Er war total aufgekratzt und tobte mit dem Schaum herum. Er pustete ihn hoch in die Luft und eine große Flocke landete wie ein Klecks Sahne auf seinem Kopf.

»Krähentorte!«, krähte er.

Ich lachte und ging zurück ins Zimmer, aber vorher drehte ich den Wasserhahn zu. Wir hatten genug Unterwasserdrama für diese Ferien gehabt. Ich legte mich aufs Bett und ruhte mich aus. Auf dem Nachttisch stand ein Schälchen mit Pralinen in

Goldpapier. Ich wickelte eine aus und biss vorsichtig hinein. Bei solchen Luxusdingern konnte man nie wissen, oft war dann Schnaps drin. Man erwartete cremigen Nougat und bekam Nagellackentferner.

Es war eine mit Crisp. Das schmeckte ein bisschen wie Semmelbrösel, aber besser als Rumrosinen. Ich nahm noch eine. Dieses Mal war es Nougat. Ich beschloss, dass das der richtige Moment war, um aufzuhören. Solange ich den guten Geschmack noch im Mund hatte.

Krähe planschte und wusch sich währenddessen und dann kam er in ein Handtuch gewickelt aus dem Bad.

»Wollen wir runter in den Nachtklub?«, rief er. »Ich sehe heute so gut aus.«

Ich musterte ihn. »Du hast dich ja noch nicht mal parfümiert und das alles«, sagte ich. »Du wolltest doch das volle

Programm, um dich für euer Wiedersehen schick zu machen.«

Krähe hörte nicht zu. Er lief summend im Zimmer herum und betrachtete sich dabei immer wieder zufrieden im Spiegel.

»Partytag«, murmelte er.

Ich seufzte und stützte mich auf die Ellenbogen. »Ich finde, es wäre besser, wenn wir uns ausruhen und früh schlafen gehen würden«, sagte ich und klang wie eine Oberlehrerin. »Und vielleicht sollten wir auch ein bisschen darüber nachdenken, wie wir aus dieser Rechnung-bezahlen-Klemme herauskommen wollen, in der wir stecken.«

Krähe antwortete nicht. Er summte nur und lächelte seinem Spiegelbild zu. Ich ließ mich zurück auf die Matratze fallen und zog mir die Decke über den Kopf. Oh, wie verantwortungslos er war! Machte sich nicht die geringsten Gedanken über die Zukunft!

Jetzt pfiff er auch noch. Als ginge es ihn überhaupt nichts an, dass ich versuchte nachzudenken und uns aus der Situation zu retten, in die er uns gebracht hatte. Ich konnte hören – nur allein daran, wie er durchs Zimmer lief und geschäftig in seinen Sachen kramte – wie gleichgültig ihm das alles war und wie wenig ihn juckte, was ich gerade gesagt hatte. Herr Partyprinz, der mir das Gefühl gab, Frau Langeweile in Person zu sein. Er kramte in seiner Tasche. Was machte er denn da? Er wollte doch nicht etwa …? Mir blieb nichts anderes übrig, als die

Decke ein Stückchen herunterzuziehen und nachzuschauen. Doch, ich hatte richtig gehört. Krähe hatte seine Lackschuhe ausgepackt und war gerade dabei, sich die Schleifen zu binden.

»Willst du die anziehen?«, fragte ich.

Krähe nickte. »Mmm«, sagte er, ohne mich anzusehen.

»Aber ... Die wolltest du doch aufheben, bis du deine Mama und deinen Papa triffst!«

Krähe wackelte mit den Zehen in den Schuhen und bewunderte seine Füße. »Bis dahin kann man sie ja wohl ein bisschen einlaufen«, sagte er. »Partytag! Ich gehe jetzt jedenfalls in den Nachtklub. Du kannst ja hier im Zimmer bleiben und muckern, wenn du willst.« Er posierte vor dem Spiegel und spreizte dabei einen Flügel wie einen edlen Fächer.

»Ja, stell dir vor, genau das werde ich tun!«, sagte ich.

»Okay. Gut«, sagte Krähe und machte die Tür zum Hotelflur auf. *Tap, tap, tap.* Es klang nach fast nichts, als er über den Teppichboden davonmarschierte, obwohl er Schuhe anhatte. Die Tür fiel zu. Er hatte nicht mal Tschüss gesagt.

Zechpreller

So lief es immer mit Krähe und mir. Obwohl wir beste Freunde waren, wurde ich früher oder später sauer auf ihn, weil er so kindisch und unzuverlässig war. Und ich spürte, dass ich in seinen Augen eine Spaßbremse war. Oh, wie sehr ich es hasste, eine Spaßbremse zu sein. Mir wie ein Stubenhocker vorzukommen, statt von Party zu Party zu flattern. Es war Krähes Schuld, dass ich mich so fühlte. Nur weil er immer so unternehmungslustig und schick war. Ich wickelte eine Praline aus und schob sie mir in den Mund. Typisch. Kirschlikör.

Die Zeit verging. Ich konnte nicht schlafen und guckte immer wieder auf die Uhr. Halb zwei. Wann gedachte er eigentlich zurückzukommen? Ich überlegte, ob ich den Fernseher anmachen sollte. Aber falls ich es dann nicht schaffte, die Glotze schnell genug wieder auszuschalten, würde Krähe am Ende noch denken, ich hätte wachgelegen und auf ihn gewartet.

Erst um halb drei ging die Tür auf. Ich zog hastig die Decke über die Nase und legte mich blitzschnell in eine unordentliche, naturgetreue Schlafposition. Ich hörte Gekicher. Mädchengekicher!

»Pssst«, flüsterte Krähe. »Ich weiß nicht, ob sie schläft.«

Das Mädchen kicherte weiter. »Ui, ihr habt ja die Luxussuite«, staunte die alberne Stimme.

Das war doch nicht zu fassen! Krähe hatte eine Freundin mit nach oben gebracht. In unser Zimmer! In dem ich schlief! Das war der eine Tropfen zu viel. Ich riss die Decke weg und setzte mich ruckartig auf. Wie Dracula, der sich aus seinem Sarg erhebt.

»Oh ja!«, sagte ich böse.

»Hurra!«, jubelte Krähe. »Du bist wach!«

»Nein, bin ich nicht!«, knurrte ich. »Wer ist das?«

Krähe sah zufrieden aus. Seine Freundin nicht. Sie schien eher ängstlich. Dachte wohl, ich wäre Krähes Mama oder so. Sie hatte lange blonde Haare, ganz anders als meine braune Cockerspanielmatte. Und sie trug Hackenschuhe. Ich verabscheute Hackenschuhe, ich konnte keinen einzigen Schritt in diesen Dingern machen, ohne umzukippen. Außerdem hatte sie ein enges Kleid an, Schminke im Gesicht und sich einen superunnötigen Schal ein paar Mal um den Hals gewickelt. Sauhübsch, fand sie bestimmt. Sauhässlich, fand ich. Wie eine Leberwurst in einer viel zu engen Pelle. Krähe strahlte.

»Das ist Yvonne!«, juchzte er. »Und rate mal, wo sie her-
kommt!«

»Aus dem Nachtklub«, erwiderte ich spitz.

Krähe nahm keine Notiz von meiner giftigen Antwort.

»Aus Grums!«, rief er. »Und sie fährt jetzt dahin zurück!
Und wir dürfen mitfahren! Und sie hat einen SPORTWA-
GEN!«

Er war vollkommen außer sich vor Glück. Er turnte aufs
Bett und hüpfte und schrie.

»Total nach Plan! Im Sportwagen! Ich habe alles organisiert!
Ich, Kräääähe!«

Er hopste auf und ab wie ein kleines Känguru und benahm
sich völlig verrückt.

»Wir sind praktisch schon da! Ich habe Mama und Papa
praktisch schon gefunden! Ich bin praktisch überglücklich!«

Ich versuchte, nicht loszulachen. Ich presste die Mundwin-
kel so fest nach unten, dass ich fast einen Krampf bekam, aber
es ging nicht. Wenn Krähe so glücklich war, war es unmöglich,
sich nicht davon anstecken zu lassen. Ich schaute Yvonne an.
Sie wagte ebenfalls ein vorsichtiges Lächeln und da sah ich, dass
sie ein bisschen Lippenstift auf den Schneidezähnen hatte.

Es war Zeit, Karlstad zu verlassen. Krähe kletterte vom Bett
und stöhnte.

»Oh, ist das eine Qual mit diesen Schuhen. Sie kneifen wie
zwei große Büroklammern.«

Er zog die Lackschuhe aus und packte sie in seine Indien-tasche. Es war kurz nach drei, als wir leise die Tür zum Hotelflur öffneten. Wir würden uns unbemerkt über die Feuertreppe und den Notausgang aus dem Haus schleichen und uns so vor der gigantischen Rechnung drücken, die wir verursacht hatten. Krähe hatte unten in der Bar für knapp siebenhundert Kronen Karaoke gesungen.

Das Hotel war war wirklich ganz fabelhaft schallgedämpft. Nicht einmal die Treppe knarrte ein einziges Knarren. Doch kaum waren wir im Erdgeschoss angekommen, fühlte Krähe sich schon zu früh als Sieger und wurde übermütig. Er riss die Tür auf, von der er dachte, sie würde in den Hinterhof führen.

»Haha!«, rief er. »Zechpreller!« ·

In Wirklichkeit hatte er die Tür zum Pausenraum der Mitar-beiter aufgemacht. Dort drinnen saßen das Mädchen von der Re-zeption und ein Mann vom Securitas-Sicherheitsdienst, die ge-meinsam ihren Nachtkaffee schlürften. Das Mädchen schüttete sich vor Schreck den Kaffee auf die Bluse, als sie Krähes »Zech-preller« hörte. Sie sprang so hastig auf, dass ihr Stuhl umkippte.

»Ich wusste es!«, stammelte sie aufgebracht. »Ich wusste es! Du musst sie aufhalten!«

Der Wachmann zog seinen Schlagstock. Ich knallte mit aller Kraft die Tür zu. *Fupp*, machte es schallgedämpft.

»Laauuuuft!«, schrie ich und das taten wir.

Yvonne, die die Letzte in unserer Reihe gewesen war, machte

auf dem Absatz kehrt und Krähe und ich folgten ihr auf dem Fuß. Wir rissen eine andere Tür auf und dieses Mal war es die richtige. Yvonnes moosgrüner Sportwagen stand auf dem Parkplatz und glänzte in den ersten Sonnenstrahlen. Der Wachmann war uns dicht auf den Fersen.

Tschick-tschock. Yvonne schloss das Auto mit der Fernbedienung auf. Mit dem keuchenden Wachmann im Rücken flitzten wir weiter. Er war ziemlich ungelenk und hatte offensichtlich eine ganz schön miese Kondition. Yvonne war superschnell, obwohl sie hohe Schuhe anhatte. Ich war auch keine üble Sprinterin, aber Krähe …

Ich schaute nach hinten. Kleiner Krähe. Er trudelte und taumelte. Trat sich selbst auf die Füße, fiel hin und rappelte sich wieder auf. Er sah aus wie diese Stehaufmännchen für Babys, die unten rund wie ein Ball sind. Die man mit der Nase bis auf den Boden drücken kann und die sich dann wie von Zauberhand aufrichten und weiterwackeln. Er stolperte und schwankte und kam kaum vom Fleck. Außerdem hatte er auch noch die Tasche, die an ihm herunterbaumelte und ihn zusätzlich bremste. Krähe gab wirklich alles, aber … Oh nein! Der Wachmann bekam den Troddelfaden zu fassen, der über den Boden schleifte, und zog den heftig protestierenden Krähe damit zu sich heran.

»Lass die Tasche fallen, Krähe!«, brüllte ich.

Krähe weigerte sich. »Das Foto!«, schrie er. »Meine Lacktreter! Lass mich looos!«

Yvonne und ich sahen uns an. Wir musste ihm helfen. Ich rannte zu dem Wachmann und nun begann ein wildes Gezerre.

»Auaaa!«, jammerte Krähe. Ich hielt ihn entschlossen an seinem einen Flügel fest, während der Wachmann ihn etwas weniger beherzt am anderen hielt. Wir zogen und kämpften. Krähe schimpfte und kratzte mit seinen Füßen nach den Händen des Wachmanns. Endlich kam auch Yvonne dazu. Sie hatte sich den überflüssigen Schal vom Hals gewickelt und flink wie ein Cowboy verband sie dem Wachmann, der beide Hände voll mit Krähe zu tun hatte, damit die Augen. Als er plötzlich nichts mehr sehen konnte, wurde er unsicher und noch ungeschickter. Er ließ mit einer Hand los und sofort senkte Krähe den Schnabel und hackte ihm mit voller Wucht in die andere. Brüllend ließ ihn der Wachmann fallen. Wir stürmten zum Auto und sofort danach donnerten wir mit höchst unerlaubter Geschwindigkeit vom Parkplatz. Yvonne ließ die Scheibe hinunter und stieß einen gellenden Amazonen-Kampfschrei aus:

»*Ali-ali-ali-ali-aaa!*«

Ich war mit Krähe auf dem Schoß auf dem Beifahrersitz gelandet. Er kletterte wimmernd auf mir herum.

»Krähe, pass doch auf«, sagte ich genervt. »Du schlägst mir die ganze Zeit mit den Flügeln ins Gesicht, du Flatterhuhn.«

»Ich kann nichts dafür«, jammerte er. »Meine Flügel stehen von allein so ab. Es fühlt sich an, als würden sie für immer in

Flugposition bleiben.« Dann wechselte er das Gesprächsthema. »Ich will vorn sitzen.«

»Nein«, sagte ich«, »ich bin größer! Du gehst nach hinten.«

»Nein!«, fiepte Krähe. »Ich darf vorn sitzen, ich hatte die Idee mit dem Sportwagen!«

Oh, wie kindisch er schon wieder war! Aber ich gab nach und kletterte nach hinten. Yvonne passte auf, dass ich dabei die Lederbezüge nicht zerkratzte.

Dreißig Sekunden später war Krähe auf dem Vordersitz eingeschlafen. Typisch. Und jetzt wurde Yvonne auch noch gesprächig. Sie stellte unnötige Fragen und erzählte langweilige Sachen über sich selbst. Ich musste die ganze Fahrt über wie ein Schnitzel über Krähes Sitz hängen, um zu verstehen, was sie sagte, und in regelmäßigen Abständen »ja«, »nein«, »ach was« und solche Sachen einwerfen. Es war schrecklich. Dummer Krähe. Yvonne war seine Freundin und ich musste nett zu ihr sein, obwohl er vorn saß.

Krähe schnorchelte und schnarchte. Gegen halb vier fing er an, im Schlaf zu reden.

»Blaöö…«, blubberte er. »Blar blöö.«

Yvonne und ich sahen uns ein bisschen belustigt an. Krähe plapperte weiter ins Blaue hinein.

»Hallo Mama! Guten … Blö. Schön euch wieder blrrr… Ja, ich dachte, die Lackschuhe würden dir gefallen, hihi … Ach, habt ihr mich wirklich so sehr vermisst blö…«

Er redete und grinste, bis wir in Grums waren. Dort weckte ich ihn und vor dem Bürgerhaus stiegen wir aus. Ich hatte ein bisschen Sorge, dass Yvonne im letzten Augenblick womöglich noch »Haaaalt« rufen und uns einen Schlafplatz für die Nacht anbieten würde, aber sie stieß nur noch einen von ihren Amazonen-Kampfschreien aus und raste davon.

»Ali-ali-aaa!«

Himmel, was für eine anstrengende Person. Es war kurz vor vier und Krähe und ich waren halbtot vor Müdigkeit. Grums zu dieser nachtschlafenden Zeit hingegen war ganz tot. Im Bürgerhaus war alles dunkel. Noch war es ziemlich kühl, aber man spürte schon, dass uns in ein paar Stunden einer von diesen brüllend heißen Tagen erwartete.

»Lass uns nachschauen, ob man unter die Verandatreppe kriechen und dort schlafen kann«, krächzte Krähe verschlafen.

Wir gingen zum Bürgerhaus. Es war ein hübsches Gebäude. Weiß und klein, mit einer ziemlich großen überdachten Veranda auf der Vorderseite. Ich beugte mich nach unten und spähte unter die Treppe. Krähe ging nach oben und sah sich die Plakate an.

»Hier gibt es den ganzen Sommer über Tanzveranstaltungen!«, rief er. »Aber keine einzige bekannte Band!«

Ich kroch in den Hohlraum. Trockenes Laub raschelte unter meinen Händen und Knien. Doch, ein paar Stunden Schlaf würden wir hier schon bekommen, bevor Grums wieder zum Leben erwachte. Ich legte mich auf den Rücken und spähte zu den Holzdielen hinauf. Ich konnte Krähes Füße und ein kleines Stück seines Bauchs durch die Ritzen sehen.

»Die Ronny Boys!«, rief er. »Die sind bestimmt gut, die haben einen Synthesizer mit auf dem Bild!«

Ich machte die Augen zu. Mein ganzer Körper war taub vor Müdigkeit. Krähe krakeelte immer weiter.

»Die Tanzkapelle Uga-Tschaka! Die Freundschaftsband! Die Nilzonz – ha, die sehen affig aus! Kosmonova …«

Das Letzte, was er sagte, ging in ein großes Gähnen über. Kurz darauf hörte ich es neben meinen Füßen rascheln. Krähe kroch neben mich und sofort fielen wir in einen tiefen Schlaf.

Die Nilzonz

Es war ein komisches Gefühl, in einem Komposthaufen in Grums aufzuwachen. Ungewohnt. Man musste sich ein bisschen konzentrieren, um sich daran zu erinnern, dass man eigentlich jemand war, dem es gut ging, im normalen Leben zu Hause. Sonst fühlte es sich schnell ein wenig bedrückend an. Ich streckte mich.

»Bist du wach, Krähe?«, fragte ich. »He, Breitmachian? Bist du wach?«

Krähe raschelte herum. Er hatte im Schlaf fleißig die Flügel gespreizt. »Ii-hi«, jammerte er jetzt. »Flugzeug … Aua!«

Er stellte sich im Laubhaufen auf. Seine Flügel standen waagrecht ab. Das Tauziehen auf dem Parkplatz des Hotel Plaza war wirklich heftig gewesen.

Wir krochen in die Sonne hinaus. Krähe hüpfte die Verandatreppe hoch, um sich die Plakate noch einmal genauer anzusehen.

»Welcher Tag ist heute?«, fragte er. »Ich wüsste zu gern, ob heute Abend jemand spielt. Das Duo Ich vielleicht!«

Ich ließ ihn noch ein bisschen die großen Stars in ihren Lederwesten und wild gemusterten Hemden bewundern, und als er genug hatte, gingen wir uns Grums anschauen.

Die große Einkaufsstraße führte mitten durch die Stadt, genau wie im Wilden Westen in Texas oder so. Mit Saloons und Cancan-Bars links und rechts, wobei es hier natürlich Supermärkte und Sparkassen waren.

Krähe war den Menschen, denen wir begegneten, ein bisschen im Weg, und jedes Mal wenn jemand aus Versehen seine Flügel berührte, jammerte er, als hätte er einen elektrischen Schlag bekommen. Die Leute erschraken dann alle ganz schrecklich und riefen: »ENTSCHULDIGUNG, ENTSCHULDIGUNG!« Sie dachten vielleicht, sie hätten ihn platt getreten.

Eine zierliche Dame in einem eleganten grünen Kostüm saß auf einer Bank und sah Krähe freundlich an. Es kam oft vor, dass wildfremde alte Damen Krähe ansahen, als wollten sie ihn adoptieren. Sie fanden ihn wohl niedlich …

»Kennen alte Leute sich nicht mit Gelenkschmerzen aus?«, rief Krähe ihr zu. »Bei einer Oma wie dir sind die Scharniere doch bestimmt auch steif und quietschen?«

Aber genauso oft wurden die alten Damen wütend und wollten davonstürmen, sobald Krähe den Schnabel aufmachte.

Auch das honigsüße Lächeln dieser Dame schrumpfte zu einem giftigen Morchel zusammen und sie stand auf und ging.

»Schade«, sagte ich. »Vielleicht hätte sie Mandelkekse in der Tasche gehabt. Ich sterbe vor Hunger.«

»Ich auuuuch!«, quengelte Krähe.

Wir liefen herum und sahen uns um. Ich versuchte, es zu genießen und ein bisschen Touristin zu sein, aber Krähe nörgelte ununterbrochen.

»Wo ist das Krankenhaus?«, jaulte er. »Ich muss in die Notaufnahme!«

»Ich weiß es nicht«, sagte ich. »Außerdem kostet es Geld, wenn man ins Krankenhaus geht, und wir haben keins. Du musst versuchen, deine Gelenke selbst zu lockern. Beweg die Schultern mal ein bisschen.«

Krähe fiepte und versuchte es, aber es ging nicht besonders gut. Er war zu zaghaft.

»Dann gehen wir jetzt in die Pizzeria da und fragen, ob sie Öl zum Einreiben haben«, sagte ich. »Oder Gratispizza.«

In der Pizzeria Bella Notte duftete es herrlich. In diesem Moment kam es mir so vor, als gäbe es nichts Köstlicheres auf der Welt als eine Pizza Hawaii mit Extra-Ananas. Mein Magen schrie. Krähe auch.

»Hallo!«, schrie er dem Chef der Pizzeria zu. »Du da! Kannst du Hilfe gebrauchen? Wie viele Pizzakartons muss man falten, um zwei Pizzen zu bekommen?«

Der Pizzachef lachte. »Zweihundert«, sagte er.

»Okay!«, rief Krähe wie ein Auktionator, bevor ich auch nur den Mund aufmachen konnte. »Wir machen es!«

Das Städtchen Grums lag direkt am Wasser, an Schwedens größtem See, dem Vänern. Der Pizzachef erzählte, dass es einen hübschen kleinen Bootshafen gab, mit schicken Yachten und niedlichen Jollen. Ein Jammer, dass wir keine Zeit hatten, uns das anzusehen.

»Mmm«, murmelte ich und klappte den Deckel eines frisch gefalteten Kartons zu, Nummer 39. Krähe saß daneben und erfüllte seinen Teil der Aufgabe: mir die nächste Pappe anzureichen, die zusammengefaltet werden sollte. Das war nämlich das Einzige, was er machen konnte, der Schlauvogel. Schließlich war er wegen seiner Flügel krankgeschrieben.

»Du musst schneller falten«, coachte Krähe, denn wir würden unsere Pizzen erst bekommen, wenn wir fertig waren.

Ich mühte mich ab. Für die Pizzen war es das sicher wert, aber es ging so unbeschreiblich langsam voran. Die ganze Zeit hier hätten wir ja eigentlich gebraucht, um in Grums eine Mitfahrgelegenheit aufzutreiben. Sobald die Geschäfte schlossen, waren die Straßen vermutlich menschenleer und es würde unmöglich sein, noch jemanden zu finden, der bereit war, uns mitzunehmen. Was, wenn wir gezwungen waren, noch eine Nacht hier zu bleiben …?

Als ich 162 Kartons gefaltet hatte (Krähe zählte ganz genau mit und machte Striche auf einem Notizblock), seufzte der Chef und erließ mir den Rest. Er hatte die Pizzeria schon vor einer Stunde geschlossen und den Ofen warm gehalten, während er darauf wartete, dass wir fertig wurden. Ich jubelte und nuckelte an meinen armen, zerschundenen Fingern. Dann bestellte ich meine ersehnte Pizza Hawaii und Krähe wollte so eine Calzone, in der alles eingebacken war. Der Chef gab uns sogar jedem eine Limo aus, obwohl das gar nicht Teil der Abmachung gewesen war.

Wir packten unsere Pizzen ein und rannten damit in den Hafen. Ich wollte unbedingt ein paar Boote sehen und vom Meer träumen. Der Vänern war so groß, dass man so tun konnte, als wäre man am Meer. Wie setzten uns auf die Kaimauer und öffneten die bescheuerten Pizzakartons. Ein Hoch auf Hawaii! Ein Hoch auf die Aussicht! Mit einem Mal fühlte sich alles perfekt an. Ich warf Krähe einen prüfenden Blick zu, aber ja, ihm ging es auch gut. Und als es wirklich darauf ankam, konnte er die Flügel dann doch ein bisschen krumm machen. Schön. Er war geheilt. Geheilt von einer Calzone in Grums.

Wir aßen unsere Pizzen auf. Ich seufzte zufrieden und trank den letzten Schluck Cola. Die Boote schmatzten leise im Wasser und wir gingen zurück ins Zentrum.

Es war wie gesagt nicht gerade viel los. Aber gegen neun kam plötzlich Leben in die Stadt. Es war nämlich Samstag und jede Menge aufgemotzte Autos fuhren dröhnend die Einkaufsstraße auf und ab. Es waren ganz verschiedene Autotypen. Manche waren superschnieke, kaugummirosa Amerikaner mit polierten Lenkrädern. Andere erinnerten eher an umgebaute Staubsauger mit Antenne auf dem Dach. Natürlich wollte Krähe in einem dieser Schlitten per Anhalter mitfahren, aber da sagte ich ganz entschieden Nein.

»Du hattest gestern schon Partytag!«, sagte ich. »Diese Typen da wollen nur die Reifen qualmen lassen und bis vier Uhr früh feiern. Wir gehen jetzt schlafen, damit wir morgen fit sind!«

Und dann schleifte ich Krähe zu einem kleinen grünen Fleckchen, groß wie ein Sandkasten. Der Stadtpark von Grums, nahm ich an.

Wir legten uns auf eine Bank und versuchten zu schlafen. Das war schwierig, denn drüben in den Saloons war mächtig was los. Wir wälzten uns hin und her, die Bank war ja nicht gerade luxuriös gefedert. Gegen fünf Uhr blieb uns nichts anderes übrig, als aufzustehen, wenn wir keinen Hexenschuss bekommen wollten. Inzwischen war es still geworden. Wir drehten eine Runde durch die Stadt und betrachteten den Müll, der überall herumlag. Als wir zum Bürgerhaus kamen, wollte Krähe natürlich auf die Veranda, um sich die Plakate noch mal anzusehen.

»Grums – Stadt der Tanzkapellen!«, las er laut vor. »Irgendein Superstar kommt von hier. Mal sehen, welche Band gestern gespielt hat …«

Ich setzte mich auf die Treppe. Ob ich vielleicht ein Nickerchen im Laubhaufen machen könnte? Der Gedanke war verlockend, aber ich schaffte es nicht, aufzustehen. Mir fielen die Augen zu und ich döste ein bisschen. Krähe kam und setzte sich neben mich. Er lehnte sich an meine Schulter und gähnte. Wir dämmerten ein.

»ABER DAS WAR IN FAGERLUND!«

Aus dem Nickerchen wurde nichts. Jemand brüllte und schrie und hämmerte mit Metall auf Metall. Jemand war wütend.

»JETZT SPRING ENDLICH AN! SCHROTTBUS!«

Jemand mit einem Bus. Ich seufzte, aber Krähe war schon auf dem Weg die Treppe hinunter. *Klicka-klick*. Ich folgte ihm. Das Gebrüll kam von der Rückseite des Bürgerhauses. Wir gingen hin. Und hat man so etwas schon gesehen!

»Die Nilzonz!«, rief Krähe fasziniert.

Ein Typ mit Schraubenschlüssel in der Hand und Motoröl in den Haaren hob den Kopf aus dem Motorraum eines Tourbusses. Er hatte einen Schnauzbart und schien sich zu freuen, dass Krähe ihn und seine Band erkannt hatte.

Auf der Hintertreppe des Bürgerhaues – dem Bühneneingang der Stars – saß der Rest der Nilzonz: ein Typ mit Elvis-Presley-Frisur, nur im Nacken ein bisschen länger, und einer, der ungefähr dieselbe Frisur hatte wie die nervige Yvonne, also lang, blond und wallend. Alle drei hatte ähnliche hellgelbe Sak-

kos an und tadellose neue Jeans. Krähe fing sofort ein Gespräch an.

Hoffentlich waren sie nicht schon gestern hier gewesen, als Krähe herumgetönt hatte, wie affig er die Nilzonz fand, dachte ich. Aber alles war gut, die Musiker schienen nicht auf Ärger aus zu sein.

Die Nilzonz erzählten, dass sie auf Värmland-Tournee waren, um herauszufinden, ob sie bereit für den großen Durchbruch waren. Bisher hatten sie schon in Hagfors, Sunne und Filipstad gespielt. Und gestern Abend in Grums. Krähe sagte, falls sie nach Karlstad kämen, würde er ihnen wärmstens empfehlen, die Luxussuite im Plaza zu mieten. Da würde er selbst auch immer wohnen, wenn er in Karlstad war, weil das die beste sei.

Der Typ mit dem Schnauzbart werkelte weiter und fluchte über den Bus.

»Hast du Kautabak für mich?«, bettelte er den Elvistypen an.

Er bekam seinen Tabak und machte sich wieder am Motor zu schaffen. Ich war supermüde, aber Krähe wollte noch bleiben und mit der Band abhängen. Er dachte wohl, er hätte Promis kennengelernt, mit denen er angeben konnte, wenn wir wieder zu Hause waren. Ich setzte mich auf die Treppe und schmollte. Ich hatte nicht für fünf Öre Lust, freundlich zu sein.

Der Elvistyp war der Sänger und Gitarrist der Band, erfuhr Krähe. Der mit dem Bart spielte E-Piano und die Blondine war der Bassist. Das Schlagzeug konnte man mit dem E-Piano spielen, deshalb war es nicht schlimm, dass sie keinen Drummer hatten. Krähe fragte, was für Songs sie so draufhatten. Der Elvistyp sang ein paar Liedzeilen an, die Blondine übernahm den Chor und klopfte dazu den Takt auf seiner Jeans.

»Oh-o, da sagte ich zu di-hi-hir …«, knödelte der Elvistyp.

»Warum gehörst du nicht mi-hi-hir …?«, stimmte der andere mit ein.

Krähe kannte keinen einzigen Song. Er fragte, ob sie nicht eine von ihren CDs dabeihatten, in die er ein bisschen reinhören könnte. Der Elvistyp lachte und verschwand im Bus. Natürlich rannte Krähe ihm sofort hinterher und ließ mich mit Herrn Wallemähne draußen sitzen.

Ich schwieg. Krähe und Elvis brauchten ziemlich lange dort drinnen und wir mussten eine ganze Weile so sitzen und schweigen und dem Geklapper des Bärtigen zuhören. Die Sonne ging auf. Als wir bestimmt schon zwanzig Minuten stumm wie die Fische so dagesessen hatten, spuckte die Blondine auf den Boden und sagte:

»Tjaja, und heute Abend dann Årjäng.«

In der nächsten Sekunde sprang der Busmotor an. Der Schnauzbarttyp saß hinter dem Steuer und winkte und rief. In meinem Kopf drehte sich alles. Årjäng – absolut nach Reiseplan! Ich hätte superfreundlich und nett sein müssen! Jetzt zählte jede Sekunde. Die Blondine stand auf und die Bustür öffnete sich. Krähe sprang heraus.

»Schau mal!«, rief er und wedelte mit einer selbst gebrannten Demo-Scheibe. Für Krähe von den Nilzonz.

»Abfahrbereit?«, rief Elvis der Blondine zu.

»Äh, Krähe«, stammelte ich. »Würdest du sagen, dass es in dem Bus sehr eng ist?«

Krähe sah erst mich an und dann den hellbraunen Bus, der vibrierend und brummend bereitstand.

»Nein«, sagte er. »Da drinnen gibt es alles, Tische und Hochbetten. Ich durfte sogar auf das oberste klettern.«

»Okay«, sagte ich mit einem wachsamen Blick auf den Typen, der gerade sein Handgepäck einlud. »Die fahren jetzt nämlich gewissermaßen nach Årjäng und ich …«

Krähe schrie. »Hurra! Hurra! Erster Obenlieger ohne Streit! Erster Obenlieger ohne Streit«

Er drängelte sich an den Musikern vorbei in den Bus. Verwirrt schauten sie erst Krähe an, dann mich.

»Äh, also«, sagte ich, »was er eigentlich sagen wollte, war: Habt ihr in eurem Bus zufälligerweise noch Platz für zwei arme Tramper, die gemäß Reiseplan nach Årjäng müssen? Wenn es sein muss, können wir auch auf dem Boden sitzen.«

Über die Grenze

Wir waren herzlich willkommen im Bus der Nilzonz, der ziemlich gemütlich eingerichtet war, ganz in Beige, Braun und unechtem Holz. Der kombinierte Koch- und Schlafbereich war komplett mit Teppich ausgelegt, aber wir mussten nicht auf dem Boden sitzen. Der Bus war groß genug für eine vierköpfige Band, aber da es ja keinen vierten Mann bei den Nilzonz gab, bekamen Krähe und ich ein eigenes Hochbett, das wir uns teilen durften. Wir schliefen, noch bevor die Blondine ihre Haare zu einem Pferdeschwanz für die Nacht zusammengetüdelt hatte.

Als wir aufwachten, war es ganz still im Bus. Von den Nilzonz-Jungs war keiner zu sehen und Krähe und ich blieben noch ein bisschen liegen und reckten und streckten uns. Jetzt waren wir wohl in Årjäng.

»Wie spät ist es?«, fragte Krähe und fing an, im Hochbett herumzuscharren. Ein Scharren, das ich nur zu gut kannte.

Wir hatten ein irres Glück in den letzten beiden Städten gehabt und waren nicht mehr weit von der norwegischen Grenze. Ich sah Krähe an, dass er langsam nervös wurde. Je näher wir Norwegen kamen, desto mehr schien sich der Ernst unserer Reise bei ihm bemerkbar zu machen.

Wir kletterten aus dem Bus, um nach den Nilzonz zu schauen.

»Vielleicht treffen wir sie, wenn wir eine Runde durch den Ort drehen«, schlug ich vor.

Krähe hoffte wirklich darauf. Er wollte allen zeigen, dass er mit den Jungs befreundet war.

Es herrschte ein Mitten-am-Tag-Gefühl, mit vielen Leuten auf der Straße und Autos, die herumkurvten, um einen Parkplatz zu finden. Obwohl Sonntag war und außer den Supermärkten alle Läden geschlossen hatten.

»Hier scheint irgendeine Veranstaltung zu sein«, sagte ich und wir liefen schnell zum ICA-Markt, wo am meisten Betrieb war. Wir waren erst ein paar Meter weit gekommen, als Krähe plötzlich zusammenzuckte und stocksteif stehen blieb.

»Was?«, fragte ich. »Was ist los?«

Krähe sah mich verzückt an. »Hör doch!«, sagte er.

Erst kapierte ich gar nicht, was er meinte. Ich fand, dass alles ganz normal klang, aber als Krähe noch einmal »hör doch!« und mit verliebter Stimme »wie Musik ...« sagte, begriff ich, was er meinte. Norwegisch. Ganz Årjäng sprudelte nur so vor Norwegisch, es war total verrückt.

Wir sahen uns um und wie verzaubert folgte Krähe den Norwegern, die in Massen zu dem Supermarkt strömten.

Ihr lustiger Singsang tönte über den ganzen Parkplatz. Ich lief hinter Krähe her. Ehrlich gesagt wirkte er ein bisschen weggetreten, wie er da so grinsend herumlief und verliebt lauschte. Was war hier eigentlich los? Waren wir etwa gar nicht in Årjäng? Hatten die Nilzonz in Norwegen über Nacht den großen Durchbruch geschafft und waren hierher gekommen, um in einem norwegischen Supermarkt CDs zu signieren?

Krähe stand wie hypnotisiert in der Menschenmenge. Er hatte eine komplette norwegische Kleinfamilie entdeckt – eine Mama, einen Papa und einen Jungen, der ein Wassereis aß. Krähe starrte sie mit großen Augen an. Als wäre er neidisch und eifersüchtig, zum Beispiel auf das Eis oder so. Ich zog ihn weg. Wir mussten uns jetzt konzentrieren und uns einen Überblick verschaffen.

Hinter dem Fischstand am Supermarkteingang gab es eine Bank. Wir setzten uns. *Frischer Fisch aus Göteborg* stand auf dem Kiosk.

»Was ist hier denn los?«, fragte ich. »Ist heute Norwegertag, oder was?«

Krähe schüttelte nur den Kopf. Er hatte keine Ahnung. Aber wie rettende Engel in neuen Jeans kamen die Nilzonz aus dem Supermarkt. Sie hatten sich heiße Würstchen und Zeitungen gekauft.

Krähe rief:

»Hier sind wir, Jungs!« Er hob lässig einen Flügel und winkte sie zu sich und beobachtete dabei aus den Augenwinkeln, ob die Norweger ihn bewunderten. Die Nilzonz freuten sich, uns zu sehen, und kamen zu unserer Bank.

Innerhalb von zwei Sekunden war das Rätsel gelöst. Das hier war wirklich Årjäng, erklärte die Band. Und Årjäng war ein superbeliebter Einkaufsort bei den Norwegern, weil in Norwegen alles so teuer und in Schweden alles so billig war. Deshalb fanden an den Wochenenden regelrechte Wallfahrten zum ICA-Markt statt. Es sollte kein Problem sein, heute jemanden zu finden, der uns über die Grenze mitnahm, sagten sie, weil die Norweger nämlich alle so nett seien. Krähe plusterte sich ein bisschen auf und nickte. Er war ganz ihrer Meinung.

Dann sagten die Nilzonz Tschüss, weil sie losmussten, um die Bühne für den Abend aufzubauen. Krähe entschuldigte sich tausendmal, dass wir ihr großes Årjängskonzert verpassen würden. Die Jungs sagten, das wäre schon okay, und schlenderten davon. Krähe stutzte.

»Wartet!«, rief er. Die ganze Band drehte sich um. »Ich wollte euch noch was fragen!«, brüllte Krähe über den Parkplatz. »Wer von euch ist denn eigentlich Nilzon? Oder heißt ihr alle drei so?«

Der Elvistyp schüttelte den Kopf. »Keiner von uns heißt

Nilzon!«, rief er zurück. »Wir fanden den Namen einfach cool!«

Er hob die Hand und die drei verschwanden im Gewühl. Wir hörten nie wieder von den Nilzonz.

Wir blieben noch ein bisschen sitzen. Wir mussten ja einfach nur irgendjemanden fragen, aber dieser Schachzug war gewissermaßen entscheidend. In der Sekunde, in der wir einen Fang machten, waren wir nicht mehr weit von dem Moment entfernt, tatsächlich in Norwegen zu sein. Krähe schluckte und schaute sich nervös um. Ich hatte den Eindruck, dass er dieses Mal sehr sorgfältig bei seiner Wahl des Chauffeurs sein würde. Dass irgendeine weltberühmte Tanzkapelle nicht gut genug war, wenn man über die Grenze in sein Heimatland wollte.

Neben der Bank stand ein falsch abgestellter Einkaufswagen. Als wollte er den Augenblick hinauszögern, hüpfte Krähe von der Bank und kletterte in den Einkaufswagen.

»Schieb mich ein bisschen herum!«, bat er.

Ich drehte ein paar Runden mit ihm um den Fischstand und Krähe juchzte.

»Haltet den Dieb!«, rief er und machte mit dem Schnabel Sirenengeräusche. »Haltet den Dieb! Ta-tüü-ta-taa!«

Ich fuhr Slalom um ein paar Betonpfosten und dann blieb ich vor der Luke des Fischkiosks stehen. Krähe machte ein wichtiges Gesicht.

»Sind die Krabben heute gut?«, fragte er. »Sind sie ihr Geld wert?«

»Jahaa, sind sö«, sagte der Fischhändler auf breitestem Värmländisch. Was für ein Touristennepp. Er war gar kein richtiger Göteborger. Das war nur ein Verkaufstrick.

»Dö sind, wie sö sein solln«, sagte der Betrüger.

»Mmm …«, knarzte Krähe skeptisch und warf einen misstrauischen Blick in die Kiste mit den Krabben. »Ich hatte nämlich überlegt, so ungefähr … fünfzig bis sechzig Kilo zu nehmen.«

Der Mann zuckte zusammen. »Oh«, sagte er enttäuscht. »Weiß gar nöch, ob wir so viele ham …«

Krähe winkte majestätisch mit dem Flügel ab. »Egal!«, sagte er. »Dann eben alle, die da sind. Aber zuerst muss ich die Qualität prüfen.«

»Selbstverständlich«, fand der Mann und reichte Krähe zwei Krabben herunter. Krähe bedankte sich gar nicht erst, sondern schrie aus vollem Hals:

»Gib Gummi!«

Ich fuhr ihn blitzschnell auf die Rückseite des Fischstands. Dort blieb ich stehen und kletterte neben Krähe in den Wagen.

»Hier!«, sagte er triumphierend. »Krabben! Ich habe jedem von uns eine organisiert!«

Ich lachte und pulte die Krabbe aus der Schale. Sie schmeckte lecker. Dann saßen wir eine Weile da und waren ziemlich still.

Hinter dem Fischstand war es nicht so wuselig, sondern eher ruhig und leise.

»Tja«, sagte ich schließlich. »Mal sehen, wie es so wird.«

Krähe schluckte. »Mmm«, brummte er.

Er nahm sein Foto aus der Tasche. Oh, wie oft hatte er es mir schon gezeigt. Es war ein Wunder, dass das Foto immer noch so gut aussah, obwohl es von Flügeln, Daumen, Tränen und Küssen in Mitleidenschaft gezogen worden war. Jetzt war es so weit. Jetzt würden wir erfahren, ob Krähes Nachforschungen und seine Nahtoderfahrung stimmten.

Ich schauderte. Das war ein ganz besonderer Moment. Allein mit meinem besten Freund in einem Einkaufswagen.

Wir holten tief Luft und stürzten uns ins Getümmel. Krähe lief herum und schaute nach links und rechts. Er musterte eine Dame, die ein Cape in Schottenkaro und eine goldene Sonnenbrille trug. Er betrachtete einen Mann mit einem Elch auf dem T-Shirt und einem Hut mit bestickter Krempe. Er dachte eine Weile über zwei schicke Typen mit gebügelten Hemden und glänzenden Schuhen nach. Aber niemand schien ihm zu gefallen. Er sah sich weiter um. Fast so, als würde er jemand Bestimmtes suchen. Und dann zuckte er zusammen.

»Da!«, rief er und drängelte sich zwischen allen Shoppingmenschen hindurch. Ich folgte ihm.

Krähe hatte die Familie mit dem Jungen entdeckt. Sie

waren mit einem vollen Einkaufswagen auf dem Weg zum Parkplatz.

»Werte Norweger!«, rief Krähe und stolperte ihnen hinterher. »Herr Norweger! Frau Norwegerin! Werte ihr alle! Werte …!«

Als die Familie Krähes Rufe hörte, blieben sie stehen und sahen ihn an.

»Werte Familie Norweger«, keuchte Krähe. »Darf ich euch zuerst kurz sagen, was für eine wunderschöne Sprache ihr sprecht? Es klingt wie Musik! Und darf ich euch als Zweites kurz sagen: Falls ihr heute zufällig nach Norwegen fahrt, wäre es sehr freundlich von euch, wenn ihr mich und meine Freundin mitnehmen würdet. Wir müssen über die Grenze.«

Ich war beeindruckt. Ich hatte Krähe noch nie so wohlerzogen reden hören. Ich hätte nicht gedacht, dass das in seiner Natur lag. Die Familie lächelte und fing gleich an, sich mit uns zu unterhalten.*

Ich spürte sofort, dass zwischen den Norwegern und Krähe ein natürliches Band bestand. Sie verstanden sich vom ersten Augenblick an. Es schien, als wären wir auf dem richtigen Weg.

»Aber natürlich könnt ihr mit uns fahren«, sagte die Mama auf Norwegisch. »Selbstverständlich!«

Die Familie lud ihre Einkäufe in das blaue Auto. Dann durfte Krähe hinten in der Mitte sitzen und der Junge und ich saßen links und rechts neben ihm. Das Auto fuhr los. Wir begannen unsere letzte Etappe durch Schweden.

Die Norweger waren komisch. Die ganze Fahrt über redeten sie kaum mit mir, sondern plauderten die ganze Zeit nur mit Krähe. Sie waren total verrückt nach ihm und fanden ihn lustig und spontan und so einfallsreich.

Krähe erzählte, dass er vermutlich Norweger sei und dass wir auf der Suche nach seinen Eltern waren. Er fühlte sich wohl

* Man muss wissen, dass Norwegisch und Schwedisch eng verwandte Sprachen sind. Wenn Norweger und Schweden sich ein bisschen Mühe geben, können sie sich sehr gut verstehen. Das ist ein wenig so, wie wenn sich Deutsche und Österreicher oder Schweizer miteinander unterhalten.

und war entspannt. Seltsam, so war es sonst nie. Sonst fanden ihn immer alle anstrengend. Alle außer mir.

Wir brausten an Töckfors vorbei und Krähe jubelte. Das war unser letztes Etappenziel auf dem festgelegten Reiseplan gewesen. Jetzt war es nicht mehr weit.

Als wir zum Grenzposten kamen, dachte ich, Krähe würde jeden Moment explodieren. Er hatte nach vorn hüpfen dürfen und saß auf dem Schoß der Frau, um besser sehen zu können, und zitterte vor Aufregung. Er schluckte und klapperte mit dem Schnabel.

»Kommt es vor, dass sie Krähen nicht über die Grenze lassen?«, fragte er mit bebender Stimme.

Der Norweger versuchte, ihn zu beruhigen.

»Nein, nein!«, sagte er. »Das ist gar kein Problem, du wirst schon sehen. Gar kein Problem.«

Wir rollten an die Schranke heran. *Nichts zu verzollen* stand auf der schwedischen Seite. Dahinter wartete ein Kontrolleur in neongelber Weste und mit einer riesigen Schirmmütze auf dem Kopf. Krähe saß vollkommen reglos da. Ich glaube, er versuchte, ausgestopft auszusehen. Der Norweger ließ die Scheibe herunter und der Kontrolleur begrüßte ihn natürlich auf Norwegisch:

»Guten Tag!«

»Guten Tag, guten Tag«, antwortete unser Norweger fröhlich. Der Kontrolleur schaute Krähe an und lachte.

»Guten Tag«, sagte er.

Alle warteten. Spannung lag in der Luft. Krähe starrte, er war wie versteinert. Sekunden vergingen, sie fühlten sich an wie eine Ewigkeit. Der Kontrolleur guckte neugierig, Krähe zitterte. Und dann reckte er den Schnabel in die Luft und antwortete auf lupenreinem Norwegisch:

»Guten Tag, guten Tag!«

Der Kontrolleur lachte und nickte Krähe höflich und respektvoll zu. »Nichts zu verzollen«, sagte er. »Gute Weiterfahrt!«

»Tschü-hüss!«, rief der Norweger gut gelaunt und trat aufs Gas.

Wir waren auf norwegischem Boden. Krähe war ganz außer sich.

»Habt ihr das gehört?!«, schrie er. »Habt ihr gehört? Guten Tag, guten Tag! Guten Tag, guten Ta-hag! Es ist einfach so aus mir rausgekommen! Ich weiß selbst nicht, woher!«

Die Norwegerfamilie lachte. »Aber natürlich!«, jubelte die Frau. »Du hast eben norwegisches Blut in dir!«

So fuhren wir eine Weile und bewunderten alles, was in Norwegen anders war. Die Warnung-vor-gefährlichen-Elchen-Schilder zum Beispiel. Hier trabten die Elche nicht ganz so kunstvoll wie bei uns. Die Häuser sahen auch anders aus. In Schweden waren fast alle rot gestrichen, aber hier waren die Häuser weiß oder blau. Und bergig war es. Wir fuhren bergauf und bergab, hierhin und dorthin. Durch Kurven und Serpentinen, mit fantastischer Aussicht. Wir sahen großartige Täler und jede Menge Himmel. Krähe war absolut begeistert.

Aber als wir in ein Waldgebiet kamen, wurde er immer wuseliger und warf sich mal nach links und mal nach rechts, um besser zwischen die Bäume spähen zu können. Er drehte sich zu mir nach hinten um.

»Tja«, sagte er. »Dann ist es wohl Zeit, auszusteigen, oder?«

Ich nickte und vom Ernst des Augenblicks wurde mir ganz feierlich zu Mute.

Wir hielten am Straßenrand an. Krähe durfte die ganze Familie umarmen und der Norweger stieg sogar aus und drückte Krähe überschwänglich den Flügel.

»Vergiss nicht, dass du Norweger bist!«, sagte er ergriffen. »Viel Glück!«

Sie rasten auf dem Asphalt davon. Krähe winkte ihnen zum Abschied. Ich seufzte. Schrecklich, was für gute Freunde sie in so kurzer Zeit geworden waren. Ich war total abgemeldet.

Krähe hängte sich seine Tasche um und dann marschierten wir schnurstracks in den Wald. Schon bald war das Brummen der Autos nicht mehr zu hören. Das Rauschen des Waldes übernahm und mit ihm alle Geräusche, die dorthin gehörten. Leise Zwitschertriller, verirrtes Insektensurren, Tannennadeln und Zweige, die unter unseren Füßen raschelten und knackten. Die Sonne schien wärmend durch die Zweige und dünne Spinnweben blieben in meinen Haaren hängen.

Krähe ging vor, zu einhundert Prozent aufmerksam. Er spähte hoch in die Baumkronen und hielt auf dem Boden nach Spuren Ausschau. Er wirkte sehr sicher und entschlossen.

Ich seufzte. Ich war pessimistisch. Je länger wir unterwegs waren, umso missmutiger wurde ich.

»Krähe«, jammerte ich. »Sollten wir nicht lieber ein bisschen planen? Oder Pause machen?«

Er murmelte, ohne sich umzudrehen. »Wir sind doch eben erst angekommen. Da können wir uns doch wohl mal ein bisschen umsehen.«

Er stapfte weiter, cool und selbstsicher. Sogar seine verschlissene Indientasche hing ganz lässig an seiner Seite. Die, die sonst immer herumbaumelte und so verloren aussah.

Ich lief mürrisch hinterher, alles fiel mir irgendwie schwer. Neben Krähe und seinem gleichmäßigen Holzfällerschritt kam ich mir vor wie eine Primadonna.

»Krähe!«, seufzte ich. »Wohin gehen wir eigentlich? Weißt du das?« Er antwortete nicht.

»Krähe, was, wenn sie gar nicht mehr hier wohnen?«, fuhr ich fort. »Was, wenn sie umgezogen sind?«

Krähe marschierte weiter. Wo hatte er nur diese neue Art her? Warum war plötzlich ich diejenige, die hinterherrannte? Das war ungerecht.

»Krähe!«, brüllte ich. »Hörst du mir überhaupt zu?«

Aber Krähe ging einfach weiter.

Da holte ich Luft und dann schrie ich, dass die Bäume nur so rauschten.

»ACH NEIN? UND WAS IST, WENN SIE TOT SIND?«

TOT – TOT!, echote es durch den Wald und dann wurde alles ganz still. Krähe blieb stehen, als hätte er sich in eine Statue verwandelt. Mitten im Schritt war er wie erstarrt und stand reglos da. Ich sah ihn an. Seinen Rücken, der schwarzgrau in der Sonne glänzte. Die Schwanzfedern, die ganz gerade waren, aber auf eine unwirkliche Weise auf einmal trotzdem zusammengesunken aussahen. Es tat mir so furchtbar schrecklich leid. Ich hatte das Allerschlimmste zu Krähe gesagt, was man sich nur vorstellen konnte. Es war einfach so aus mir herausgerasselt. Krähe stand still. Dann, als hätte jemand auf Play gedrückt, ging er weiter. Ich rannte hinterher.

»Du …?«, fiepte ich. »Das hätte ich nicht sagen dürfen … Ich wollte … Was ist, wenn sie eine neue Telefonnummer haben, wollte ich sagen. Ich weiß selbst nicht, warum ich ›tot‹ gesagt habe.«

Aber Krähe drehte sich nicht um. Er stapfte einfach weiter.

»Es tut mir so leid!«, keuchte ich. Krähe ging und ging, er schien mich gar nicht zu hören. Ich rief aus vollem Hals:

»Krähe!«

Da drehte er sich um, schnell wie ein Peitschenhieb. Sein Gesicht war klitschnass und seine Augen funkelten so wild wie bei einem verrückten Pferd.

»Ich werde trotzdem nach ihnen suchen!«, schrie er. »Geh doch nach Hause, wenn es so hoffnungslos ist! Du wolltest ja von Anfang an nicht in die Ferien fahren! Geh doch! Ich kann auch alleine suchen! Dann werden wir ja sehen, ob sie eine neue Telefonnummer haben!«

Der letzte Satz ging in leises Schluchzen über. Er drehte sich um und ging weiter in den Wald hinein, nur diesmal noch ein bisschen schneller.

»Was?«, wimmerte ich. »Krähe …? Du hast doch gar keine Telefonnummer … Was meinst du …? Krähe?«

Ich stolperte über Steine und Wurzeln, aber Krähe marschierte vorwärts, als hätte er nie etwas anderes getan, als durch diesen Wald zu wandern. Als wäre er schon einmal hier gewesen. Ich eierte und taumelte hinter ihm her. Und dann plötzlich, als ich aufschaute, war Krähe verschwunden.

Bei Fremden

Es war wieder still und friedlich. Sehr still und friedlich. Außer meinem klopfenden Herz und meinem Atem, der pfiff und zischte, war nichts zu hören. Ich stand alleine da. Krähe war nirgends zu sehen und es knackte auch kein Zweig. Ich wollte nach ihm rufen, aber dann überlegte ich es mir anders. Es kam mir vor, als hätte ich nicht das Recht dazu. Ich hatte etwas furchtbar Dummes getan. Mit schrecklichen Folgen.

Es geschieht mir nur recht, wenn ich jetzt spurlos im norwegischen Urwald verschwinde, dachte ich.

Ich sah mich um. Inzwischen brannte die Sonne nicht mehr so grell durch das Geäst. Eher orange. Ich biss mir auf die Unterlippe. Meine Füße machten ein paar Schritte, aber dann blieben sie wieder stehen. Ich hatte ja keine Ahnung, wo ich war. Ich hatte ja keine Ahnung, wo es zum Ausgang ging.

Ich setzte mich ins Moos. Ich war so müde. Die letzten Tage waren ganz schön anstrengend gewesen und ich merkte, wie mir langsam die Augen zufielen. Alles um mich herum verschwamm, aber plötzlich war das Bild wieder scharf und ich sah mich höchst verwundert um.

Vor mir im Moos stand eine große Kanne Wasser. Ich kannte diese Kanne, es war dieselbe, in der Krähe und ich immer Limonade machten und die wir mit nach draußen auf die Wiese nahmen, wenn wir uns sonnen wollten. Die Kanne war so voll, dass das Wasser rundherum über den Rand schwappte. Es strömte richtig heraus, aber sie wurde nicht leerer. Sie füllte sich die ganze Zeit neu, als wäre im Boden ein Wasserhahn. Da bemerkte ich, dass neben der Kanne ein Brot mit Thunfischcreme lag. Es war aus dem Sandwich-Café zu Hause in der Nygata. Oh, ich war so durstig und hungrig, aber ich schaffte es nicht, aufzustehen und hinzugehen. Mein Po fühlte sich an, als hätte er sich in Blei verwandelt.

Plötzlich kam Krähe durch das Moos auf mich zugeeilt.

»Hallo«, sagte er.

Ich fragte ihn, ob er mir das Brot und die Kanne bringen könnte, weil ich einen Bleipo bekommen hatte und es selbst nicht schaffte. Krähe schüttelte den Kopf.

»Das hast du jetzt davon«, sagte er. »Aber ich hätte sowieso keine Zeit, ich bin nämlich auf dem Weg zu Mamas und Papas Beerdigung.«

Mir wurde eiskalt. »Sind ... sind sie denn gestorben?«, fragte ich.

Krähe nickte. »Jepp«, rückte er heraus. »Du hast es doch selbst gesagt. Dass sie tot sind. Das hast du jetzt davon.«

Mir wurde schlecht. Es war, als wäre es ganz allein meine Schuld, dass seine Eltern tot waren. Dass sie noch leben würden, wenn ich vorhin nicht diesen dummen Satz gesagt hätte.

Krähe marschierte wieder los.

»Warte!«, rief ich. »Ich kann nicht aufstehen! Willst du, dass ich mitkomme?«

Krähe schüttelte den Kopf. »Ich habe schon Begleitung!«, rief er.

Ich drehte mich um und zwischen den Zweigen tauchte eine große Gruppe von Menschen auf. Ich blinzelte. Sie kamen mir irgendwie bekannt vor. Waren das nicht …? Doch. Da kamen sie, alle miteinander: Der Carlsberg-Kerl mit dem dicken Bauch, der Fahrer, der kein R sagen konnte, die kreischende Bedienung mit den vielen Ohrringen, der Mann, der Schüsseln durch die Gegend fuhr, die Eisenbahn-Frau, der Franzose, der irgendetwas von seiner verschwundenen Torte faselte, der Floßverleiher, der auch etwas von einer Torte und Mindesthaltbarkeitsdatum murmelte, die Gäste aus dem Plaza, das Mädchen von der Rezeption, der Securitas-Wachmann, Yvonne, der Sklaventreiber aus dem Bella Notte, die Nilzonz, der Fischverkäufer, die Norweger und ausgewählte Teile der Bevölkerung aus Karlstad, Grums und Årjäng. Ich glaube, sogar die Krabbe, die ich auf dem ICA-Parkplatz gegessen hatte, schwamm mit beleidigtem Gesichtsausdruck durch die Luft.

Sie alle wirkten verärgert. Sie sahen mich an, als wollten sie sagen: »Dieses Mal hast du dich wirklich bis auf die Knochen blamiert. Du warst gemein zu jemandem, der so nett ist.«

Ich schaute Krähe nach und rief aus vollem Hals: »Warte!«

Dann wurde ich wach. Ich sprang auf, aber Krähe war nicht da. Und auch sonst niemand und auch keine Kanne und kein Brot. Der Morgen dämmerte gerade und ich hatte nur geträumt. Ich war so durstig, dass sich mein Mund anfühlte, als wäre er aus Holz.

Den ganzen Tag über konnte ich nichts zu essen und nichts zu trinken finden. Ich versuchte, den Saft aus einem Tannenzapfen zu saugen, aber ohne Erfolg. Wieder und wieder redete ich mir ein, wie gut es war, dass ich immer noch durch den Wald irrte. Je länger ich verschollen war, umso eher würde Krähe mir vielleicht verzeihen. Vielleicht. Denn je nachdem, aus welcher Richtung man es betrachtete, konnte genauso gut Krähe der Verlorengegangene sein.

Als es Abend wurde, ließ ich mich auf den Boden sinken. Es fühlte sich an, als hätte ich eine dicke Möhre im Hals stecken, die einfach nur herausgeweint werden wollte, aber es ging nicht, mein Körper war viel zu ausgetrocknet. Was sollte ich tun?

Ich stand wieder auf und meine Knie schlackerten wie zwei ausgeleierte Sprungfedern. Alles drehte sich. Der Wald um mich herum war wie die Trommel einer Waschmaschine und ich war die Unterhose, die mittendrin herumgeschleudert wurde. Ich glaube, ich torkelte. Der Waldboden und das Moos flogen auf mich zu und dann wurde es schwarz.

(Es tut mir leid, dass das, was ich als Nächstes erzähle, stellenweise ein bisschen ungenau ist. Die nächsten Tage vergingen nämlich wie im Nebel und ohne dass ich so richtig weiß, was eigentlich passiert ist. Das hier ist jedenfalls das, woran ich mich erinnere.)

Als ich davon aufwachte, dass jemand auf mir herumkletterte, kam es mir vor, als wäre ich hundert Jahre bewusstlos gewesen. Ich versuchte zu erkennen, wer es war, aber mein Blick war zu unscharf. Alles sah aus, als wäre es mit viel zu nassen Wasserfarben gemalt worden.

Die Gestalten, die auf meinem Bauch herumscharrten, redeten miteinander. Ich konnte nicht verstehen, was sie sagten, es klang für mich nur wie Gemurmel. Aber ich merkte, dass sie Schnüre um meine Arme und Beine knoteten.

»Murmel!«, gab die eine Gestalt der anderen das Kommando und dann hob ich ab und schwebte durch den Wald.

Die Baumkronen hingen verschwommen über meinem Kopf. Ich flog wie ein Vogel zwischen den Tannen hindurch, nur dass ich nach oben guckte statt nach unten. Nach einer langen und wackeligen Reise hörte ich undeutlich das Knarren einer Tür und wurde in ein – wie ich annahm – Haus getragen. Die Atmosphäre war heimelig und gemütlich, auch wenn ich die Umgebung, in der ich mich befand, bestenfalls erahnen konnte. Es war wohl ungefähr so, als würde man sich aus Versehen die Butter statt aufs Brot auf die Brille schmieren, sich die Brille dann aufsetzen und nicht mehr abnehmen dürfen. Aber ich war bei jemandem zu Hause und das Sofa, auf dem ich lag, war zu kurz, denn an den kalten Windzug um meine Füße kann ich mich ganz sicher erinnern. Ich bekam Saft zu trinken und ab und zu wedelte mir etwas Vertrautes durchs Gesicht.

Und mit jedem Tag, der verging, und jedem Becher Saft, den ich trank, wurde mein Blick klarer. Schließlich konnte ich erahnen, dass die Fremden, die mich aufgenommen hatten, zu zweit waren und ziemlich klein. Außerdem hatten sie beide hübsche, schwarze Kugelbäuche.

Ich werde von zwei eigenartigen und ein klein wenig molligen Norwegern umsorgt, dachte ich. Hoffte ich jedenfalls. Denn eigentlich konnte es genauso gut sein, dass ich von zwei eigenartigen und ein klein wenig molligen Norwegern entführt worden war, die mich als exotisches Haustier halten wollten. Eins, das sich aus Schweden selbst importiert hatte.

Eines Morgens, als ich gerade in mein Butterbrot mit braunem Karamellkäse gebissen hatte, hörte ich die Fremden in ihrer Murmelsprache miteinander diskutieren. Jemand kam und wedelte mir durchs Gesicht und befühlte meine Stirn. Das war das Beste in dieser ganzen Zeit. Dieses Wedeln, das sich so wunderbar vertraut anfühlte. Dann diskutierten sie weiter und dann murmelten sie eine Entscheidung. Ich sollte fort und nach Hause, wie sich herausstellte.

Ich wurde auf eine Trage gehoben, auf dieselbe, auf der ich gekommen war. Dann wurde ich festgebunden und schon ging es los. Eine Tür wurde aufgeschlagen und das Sonnenlicht traf mein entwöhntes Gesicht. Ich blinzelte. Wir waren immer noch im Wald, auf einer offenen Lichtung, und als ich mich anstrengte, um nach hinten zu schauen, konnte ich sehen, dass sich das Haus, in dem ich gewesen war, in einem Baum befand.

Ich flog durch den Wald. Nach einer Weile landeten wir und ich wurde auf dem Boden abgesetzt. Jetzt ahnte ich ein sehr vertrautes Geräusch. Weit, weit weg kam etwas Brummendes näher. Ein Lastwagen oder … Ein Bus! Es war ein Bus, der so brummte. Ich sah ganz genau hin und stellte fest, dass wir an einem kleinen Schotterweg waren, der durch den Wald führte.

»Murmel!«, riefen meine Fremden. Sie wedelten mir durchs Gesicht, ernst und entschieden. »Murmel!«

Klatsch, da bekam ich einen Klaps auf die Wange. Auf einmal war alles glasklar. Es war, als hätte ein Hypnotiseur mit den Fingern geschnippt und »Jetzt bist du wach!« gesagt.

Hallo, Welt! Ich sah und hörte und war total da. Vor mir standen zwei Krähen und starrten mich an.

»Hörst du mich?«, fragte die eine Krähe auf glockenreinem Norwegisch. Er trug Lederpantoffeln.

Ich nickte. »Guten Tag«, sagte ich und streckte die Hand aus. »Ich bin aus Schweden. Ich bin jetzt wach.«

»Endlich!«, zwitscherte Frau Krähe, die ein Paar anständige Gummistiefel anhatte. Sie und ihr Mann blinzelten mich froh an.

Es war, als würde in mir eine Alarmglocke klingeln, aber ich konnte sie nicht richtig hören. Trotz allem war es ja ziemlich verwirrend, so plötzlich wieder normal zu sein, und da war so viel, woran ich denken musste. Sollte ich mich vorstellen? Sollten sie sich vorstellen? Sollte ich mich für den Saft bedanken? Musste ich irgendetwas erklären? Tausend Fragen schwirrten in meinem Kopf herum und ganz weit hinten schrillte diese Glocke.

»Wie du dagelegen und vor dich hin fantasiert hast«, jubelte die Frau und klatschte in ihre kleinen Flügel.

»Ja-a«, stimmte ihr Mann zu. »Und gebrabbelt und mit den Augen gerollt hast.«

Ich rang mir ein notdürftiges Lächeln ab. Es war ein bisschen unangenehm, jemandem gegenüberzustehen, der einen brabbeln gehört hatte. Ich machte mir ein bisschen Sorgen, dass ich etwas Peinliches gesagt hatte.

»Na ja, jedenfalls …«, sagte ich bedeutungsvoll, »muss ich mich jetzt beeilen. Ich habe nämlich jemanden verloren. Jemand sehr Wichtiges.«

Mit einem Mal sahen die beiden Krähen nicht mehr so froh aus. Frau Krähes Blick wirkte abwesend und Herr Krähe nickte traurig. Er legte den Flügel um seine Frau und schaute mich ernst an.

»Das verstehen wir«, sagte er. »Das verstehen wir sehr gut. Es ist schlimm, wenn jemand verloren geht, der einem viel bedeutet.« Er richtete sich auf und lächelte mich aufmunternd an. »Aber jetzt setzen wir dich in den Bus nach Oslo«, sagte er. »Dann kannst du zur schwedischen Botschaft gehen, dort helfen sie dir.«

Oslo, Norwegens Hauptstadt. Die Alarmglocke schrillte und schrie. Irgendetwas war ganz und gar falsch daran, jetzt nach Oslo zu fahren. Ich versuchte, alle meine Gedanken zusammenzutrommeln, die Urlaub gemacht hatten, während ich bewusstlos gewesen war. Der Bus kam, hielt neben uns an und öffnete zischend seine Türen. Herr Krähe hüpfte zum Fahrer hoch und gab ihm Geld.

»Sie ist Touristin«, sagte Herr Krähe. »Sie will nach Oslo.«

Wie in Zeitlupe stieg ich in den Bus. Ich versuchte, die Abfahrt so lange hinauszuzögern, wie es ging, um dahinterzukommen, was hier gerade schieflief, und um in letzter Sekunde noch einen schlimmen Fehler zu verhindern. Aber als die Krähen fröhlich zum Abschied mit den Schnäbeln knispelten und der Bus losfuhr, hatte ich immer noch nicht kapiert, welche Katastrophe gerade im Gange war.

Der Bus war ziemlich leer, nur ganz hinten saßen ein paar Jungs mit Käppis. Ich saß ganz vorn. Ich wollte den Fahrer im Blick behalten, um sicherzugehen, dass er keiner von denen war, die das Lenkrad losließen, wenn sie den Radiosender wechselten.

Ich schaute durch das Fenster nach draußen. Wie komisch alles gekommen war. Krähes und meine Reise war überhaupt nicht so zu Ende gegangen, wie wir es uns vorgestellt hatten. Stattdessen hatten wir uns gestritten und jetzt saß ich hier in einem Bus und wusste kaum, wer ich war. Und Krähe? Wo war er? Konnte man in Oslo eine Suchaktion beantragen? Einen Hubschrauber anfordern?

Und so fing ich an, über zu Hause nachzudenken. Ich dachte an mein Bett und meine frisch gewaschenen Sachen und an meine Mama und meinen Papa. Mit einem Mal wurde mir irgendwie schwer ums Herz, ich spürte einen richtigen Stich.

Aha, stellte ich fest. Nun habe ich also einen Anfall von Heimweh.

Es war das erste Mal seit unserer Abreise, dass ich Heimweh hatte. Aber da bekam ich ein schlechtes Gewissen. Hier saß ich und vermisste meine Eltern, die zu Hause auf mich warteten, während Krähe elternlos war. Er wusste nicht, ob er seine Mama und seinen Papa irgendwann wiedersehen würde. Und nachdem nun auch noch unser Suchurlaub in die Hose gegangen war, sah es noch schlechter für ihn aus.

Eigentlich war es ganz schön dumm gewesen, schoss es mir durch den Kopf, dass ich nicht daran gedacht hatte, die beiden norwegischen Krähen zu fragen, ob sie etwas von einem verlorenen Krähenkind gehört hatten!

Ich erstarrte zu Eis. Die Erinnerung an die Zeit bei den beiden Fremden zischte durch meinen Kopf: ihre schwarzen Umrisse, dieses wunderbare Wedeln in meinem Gesicht, das Knispeln, alles! Die Katastrophe. Da war sie.

Krähe

»ANHALTEEEN!«, schrie ich und der Busfahrer machte eine Vollbremsung. Er versuchte, mir zu erklären, dass Oslo noch ein gutes Stück entfernt war und dass er ja versprochen hatte, mir Bescheid zu sagen, wenn wir da waren, aber ich schrie einfach weiter.

»MACH DIE TÜÜÜR AUUUF! AUUUFMAAA-CHEEEN!«

Was hatte ich getan? Ich hatte mich gerade für alle Zeiten von Krähes Eltern verabschiedet! Von denen er sein Leben lang geträumt und nach denen er sich immer gesehnt hatte. Die der einzige Grund für unsere Reise per Anhalter gewesen waren. Es war nicht zum Aushalten!

Der Fahrer gab nach und die Türen schwangen auf. Ich rannte los, die Straße zurück, die wir gekommen waren. Wie weit waren wir schon gefahren? Mehr als zehn Kilometer? Oder we-

118

niger? Ich rannte und rannte und dann blieb ich stehen und spähte zwischen die Bäume. Es war keine Spur von den Krähen zu sehen. Die Stelle, wo wir uns getrennt hatten, war wohl noch weiter weg. Ich rannte wieder los.

Wenn ich Krähes Eltern aus lauter Dummheit verloren hatte, dann würde ich mir das niemals verzeihen. Es wäre schrecklich, nach Hause zu kommen, durch den Alltag zu trotten und weiterzumachen wie früher, nachdem man den Lebenstraum eines anderen vermasselt hatte. Das konnte ich nicht!

Ich blieb wieder stehen und spähte in den Wald. Konnte es hier gewesen sein?

Ich versuche es, dachte ich. Ich ertrage es nicht mehr, die Straße entlangzurennen. Ich ertrage gar nichts mehr, was ich vermurkst habe.

Ich stürmte querwaldein durch das Moos, rufend und brüllend:

»Herr Kräääähe! Frau Krähe! Ich bin es, die Touristin aus Schweden! Kommt zurück! Es ist wichtiiig!« Ich rannte wie ein Storch in zu großen Stiefeln, total ungeschickt und plump. »Herr Kräheeee!«

Stundenlang stolperte ich so herum. Aber ich fand die Krähen nicht. Sie waren verschwunden. Zum zweiten Mal.

Ich ließ mich auf den Boden fallen und da kamen die Tränen. Was für ein Blödian ich war. Was für eine Idiotin! Ich weinte und schluchzte und heulte. Die Vögel zwitscherten und sangen, als fragten sie sich, was los sei. Und dann …

»Hallo«, sagte jemand hinter meinem Rücken. Jemand, den ich kannte.

Ich drehte mich um. Es war Krähe, der mitten im Sauerklee stand. Mein Krähe, mit Tasche und allem. Ihn wiederzusehen, kam mir vor wie ein Märchen. Es war fantastisch. Und schrecklich. Jetzt musste ich ihm erzählen, was ich getan hatte.

»Krähe«, wimmerte ich. »Ich habe alles kaputt gemacht!« Er sah mich an. Verflixt, wie schrecklich lieb ich ihn hatte.

»Ich habe es gleich zweimal vermurkst, Krähe! Es tut mir so leid. Es tut mir so leid, dass ich gesagt habe, deine Eltern wären tot.«

Krähe knispelte mit dem Schnabel. Genau wie die norwegischen Krähen! Warum hatte ich das nicht gleich kapiert?

»Das macht nichts«, sagte Krähe. »Ich habe darüber nachgedacht und wahrscheinlich hast du recht. Ich bin vermutlich zu spät nach Norwegen gekommen.«

Ich schüttelte den Kopf. »Nein, Krähe.« Eine Falte bildete sich zwischen seinen Augen. »Wie gesagt«, heulte ich, »ich habe es zweimal vermurkst. Ich habe deine Eltern getroffen und so ungefähr eine Woche auf ihrem Sofa gelegen und Saft getrunken. Aber das habe ich erst kapiert, als es schon zu spät war, und jetzt kann ich sie nicht mehr finden! Ich verdiene es nicht, dich zum Freund zu haben!«

Krähe sah aus, als würde er überhaupt nichts mehr verstehen. Dann wurde sein Blick ganz mild. Mild wie Milch mit ganz wenig Kakao. Er schnappte mit dem Schnabel nach Luft.

»Ist das wahr?«, flüsterte er.

»Ohne jeden Zweifel«, sagte ich. »Du könntest ihr Klon sein – von jedem der beiden.«

Krähes Augenlider flatterten. Er sah mich wieder und wieder an, als müsste er sich versichern, dass er auch wirklich richtig gehört hatte. Ich nickte einfach nur.

»Dann sind sie also nicht tot?«, flüsterte er. »Dann leben sie noch?«

»Aber«, schrie ich, »ich habe sie doch verloren! Und der Wald ist so verflixt groß! Zwei spezielle Krähen in einem norwegischen Urwald zu finden, das … das ist sozusagen ganz und gar total unmöglich. Vor allem, sie ein zweites Mal zu finden.«

»Wir müssen es versuchen«, sagte Krähe atemlos vor Aufregung. »Was für ein Sofa haben sie?«

Ich schaute ihn an. »Was spielt das für eine Rolle?«

Krähe knispelte. »Keine«, sagte er. »Ich wollte es nur wissen.«

»Soweit ich mich erinnere, war es eins mit norwegischem Schnörkelmuster«, sagte ich. »Sie sind überhaupt sehr norwegisch, Krähe. Und sehr traurig darüber, dass du verloren gegangen bist.«

Krähe wimmerte und sprang dann mit beiden Beinen in die

Luft. »Los, komm schon!«, drängelte er. »Könnte es vielleicht hier gewesen sein?«

Ich zuckte hilflos mit den Schultern. Aber dann stand ich auf und wir marschierten drauflos durch das Moos, in die Richtung, in die Krähe gezeigt hatte. Versuchen konnte man es ja wenigstens.

Wir wanderten und wanderten. Krähe erzählte, dass wir mindestens fünf Tage voneinander getrennt gewesen waren.

»Wie war das ...?«, fragte ich. »Hast du im Wald geschlafen?«

Krähe nickte. »Jepp«, sagte er. »Das war schön. Nach der ersten Nacht bin ich auf eine Kiefer geklettert, man bekommt ja sonst einen nassen Hintern von dem ganzen Herumgesitze auf dem Boden.«

Ich war beeindruckt. Ich selbst hätte mich niemals so lange allein in der Wildnis durchschlagen können.

Krähe sagte, er wolle alle Details über die fünf Tage hören, in denen ich ohne ihn unterwegs gewesen war. Ich begann, sehr eindringlich von meinem Albtraum und meiner dramatischen Ohnmacht zu berichten, aber Krähe unterbrach mich.

»Nicht diese Sachen«, sagte er. »Nur die von Mama und Papa. Und wie es drinnen in dem Baum war.«

Ich versuchte, ihm alles, so gut ich konnte, zu schildern. An den Wänden hatten norwegische Wandteppiche gehangen.

Und an der Decke auch. Soweit ich das mit meinem benommenen Blick hatte sehen können, war alles mit Bauernmalerei und bunten Blumen geschmückt gewesen. Seine Eltern hatten beide viel mit den Flügeln gewedelt, genau wie er selbst. Bei ihnen gab es leckeren Saft, Butterbrot mit Karamellkäse und ein ziemlich kurzes Sofa. Viel mehr als das konnte ich aus meinem Gedächtnis nicht hervorkramen. Krähe lächelte bei allem.

»Wie haben sie denn gewedelt?«, fragte er.

Ich fuchtelte mit den Händen vor Krähes Gesicht herum. »So«, sagte ich. »Genau wie du.«

Wir lachten. Dann erzählte Krähe seine Geschichte von den Tagen, an denen wir getrennt gewesen waren. Er war von morgens bis abends gewandert. Erst hatte er nur nach anderen Krähen Ausschau gehalten, aber schon am Abend des ersten Tages hatte er auch angefangen, nach mir Ausschau zu halten.

Ich seufzte glücklich. Er hatte mich gesucht.

»Bist du denn nicht sehr hungrig?«, fragte ich.

»Ein bisschen«, sagte Krähe. »Hier und da habe ich ein paar halbwegs genießbare Sachen gefunden. Was es im Wald eben so gibt. Brr! Gras schmeckt bitter.«

Ich hoffte, dass wir bald etwas zu essen finden würden. Für Krähe.

Als wir eine Weile gegangen waren, spürte ich, dass ich das Unausgesprochene endlich aussprechen musste.

»Du, Krähe, ich habe das, was ich gesagt habe, tausend Mal bereut«, murmelte ich. »Ich glaube, es lag auch an meinem schlechten Gewissen, dass ich ohnmächtig geworden bin. Ich habe nie wirklich daran geglaubt, dass deine Eltern tot sind.«

Krähe knispelte mit dem Schnabel. »Ich eigentlich auch nicht«, sagte er.

»Ich war nur so schrecklich eifersüchtig, als alle Norweger auf einmal deine Freunde waren«, fuhr ich fort. »Es war irgendwie ungewohnt für mich, dass du so gesellig und charmant sein kannst.«

»Für mich auch«, sagte Krähe. Ich sah, wie glücklich es ihn machte, endlich beliebt zu sein.

Wir wanderten und wanderten. Sobald ich irgendwo eine Lichtung erahnte, hielt ich den Atem an und Krähe flatterte hoch in die Luft. Aber wohin wir auch kamen, es war die falsche Lichtung. Die falschen Wohnbäume.

Die Sonne ging schon langsam unter. Krähe wurde immer unruhiger. Es schien, als hätten sich unangenehme Gedanken in seinem Kopf eingenistet. Gedanken, dass wir es doch nicht geschafft hatten. Dass seine Eltern endgültig verschwunden waren. Er sank ins Moos.

»Sie sind nicht da«, seufzte er. »In so einem Wald kann man sein Leben lang nach ein paar Krähen suchen und sie trotzdem niemals finden.«

Ich wollte etwas Aufmunterndes sagen, aber ich konnte ihn nicht anlügen. Nicht in einer so wichtigen Angelegenheit. Ich konnte mir auch nicht vorstellen, dass wir Krähes Eltern ein zweites Mal finden würden. Jemals.

Krähe wühlte in seiner Tasche und zog das Foto heraus. Er starrte es an und presste den Schnabel zusammen. Er kniff ihn zu wie eine Wäscheklammer mit extra starker Feder. Er spannte sich an, bis er zitterte, aber wie sehr er sich auch zusammenriss, seine Augen wurden immer nasser und dann kullerte die erste Träne. Er holte Luft und schrie:

»VERDAMMTES MISTBILD! GENAUSO GUT KANN ICH ES ZERREISSEN! GENAUSO GUT KANN ICH DAMIT AUFHÖREN, ES JEDEN TAG ANZUSTARREN! NUR SEINETWEGEN SIND WIR AUF DIESER BLÖDEN MISTREISE! ICH MACHE ES JETZT KAPUTT!«

Er hielt das Foto an den Rändern vor sich hoch.

»Krähe, nein!«, rief ich.

Ritsch! Es wurde totenstill. Krähe saß da, in den Flügeln die beiden Hälften des Bildes. Ich hielt die Luft an. Eigentlich hielt der ganze Wald die Luft an.

Da hörten wir jemanden plappern. In meinen Ohren klang es wie Musik.

»Komm!«, schrie ich und zerrte Krähe am Flügel aus dem Moos. Er hing an meiner Hand wie eine kleine Einkaufstüte. Ich sprang über Grasbüschel und umgestürzte Bäume. Dort vorn blitzte eine Lichtung zwischen den Stämmen hindurch, dort vorn hörte ich zwei muntere, vertraute Stimmen. Ich rannte weiter, Zweige peitschten mir ins Gesicht, Vögel riefen und piepsten, als wollten sie mich anfeuern: Schneller, schneller! Ich rannte, rannte, rannte und Krähe baumelte an meiner Hand.

Und dann waren wir da. Die norwegischen Krähen waren draußen. Heute war Großwaschtag. Überall auf der Lichtung hatten sie ihre prächtigen Wandteppiche zum Trocknen aufgehängt. Es sah aus, als hätten sie für ein Fest geschmückt, als wären die Wandteppiche Willkommen-daheim-Transparente. Die Krähen plauderten und lachten. Dann bemerkten sie mich und das, was da an meiner Hand baumelte. Die Luft war warm und still. Ich setzte Krähe ab. Er sah seine Mama und seinen Papa an und sie sahen ihn an. Sie machten Gesichter, als hätten sie ein Gespenst und einen Engel zugleich gesehen. Alles war still – sogar die kleinen Vögel hatten aufgehört zu zwitschern. Krähe stand mit seiner zerschlissenen Tasche und dem zerrissenen Foto da und schaute nur.

»Krähe!«, sagte ich. »Sag schon, wer du bist! Los, sag, wer du bist, Krähe!«

Aber Krähe sagte nichts. Denn das war gar nicht nötig.

Abschied

Krähe hatte seine Mama und seinen Papa gefunden, die norwegischen Krähen, die sich durch einen fantastischen und unerklärlichen Zufall um mich gekümmert hatten, als ich fünf Tage lang bewusstlos gewesen war. Krähes Mama nahm die Flügel aus der Waschschüssel und ging zu Krähe. Er versuchte, etwas zu sagen.

»Ich, äähhh ...«, stammelte er. »Es ist ... ja, äh ...«

Nuschelvogel. Er bekam nicht ein vernünftiges Wort aus dem Schnabel. Fast sein ganzes Leben lang hatte er sich nach diesem Moment gesehnt, da war es nur zu verständlich, dass es ihm ein bisschen schwerfiel, genau in diesem Augenblick forsch und höflich zu sein. Zum Beispiel hatte er total vergessen, seine schicken Lackschuhe anzuziehen.

Aber eine Vorstellung war, wie gesagt, überflüssig. Alle wussten sofort, wer sie waren. Ich stand daneben und sah zu, wie Krähe mit seinen Eltern wiedervereint wurde. Krähes

Mama und Papa, stellte sich heraus, waren genauso überdreht und schwer zu verstehen, wenn sie in aufregende Situationen kamen. Und ich hatte die beiden für gelassene Norweger gehalten!

Ja, ja, dachte ich. Es steht auf jeden Fall fest, dass Krähe nichts dafür kann, dass er ein Zappelhuhn ist. Es ist eben angeboren.

Ich drehte eine Runde um die Lichtung, um die drei ein bisschen in Ruhe zu lassen und um über all das nachzudenken, was passiert war. Es war schön hier. Rund um die Lichtung wuchsen nicht so viele dunkle Tannen und Kiefern, sondern vor allem Laubbäume. Pappeln und Birken und ein paar Eichen. Das Gras war weich und dick. Der hohle Baum, in dem die Krähen wohnten, war alt, aber hübsch.

Ich muss gerade so der Länge nach hineingepasst haben, dachte ich. Aber vielleicht hatte ich auch mit den Füßen draußen im Freien geschlafen?

Als ich die Lichtung einmal umrundet hatte und wieder bei Krähe und seinen Eltern angekommen war, waren sie gerade dabei, das zerrissene Foto zu bewundern. Der Papa hüpfte und krächzte. Er hatte es damals aufgenommen, und zwar wirklich in einem Urlaub an der schwedischen Grenze. Genau wie Krähe es in seiner Nahtoderscheinung gesehen hatte! Sie hatten wahnsinnig viel Spaß mit dem Bild, und Krähe ganz besonders.

Die Mama erzählte, wie es an dem Tag gewesen war, als sie

Krähe zum letzten Mal gesehen hatten. Sie hatte Lärm in den Baumwipfeln gehört, und als sie nach oben schaute, hatte sie Krähe gesehen. Er hatte geschwankt und gerudert und furchtbar kämpfen müssen, um das Gleichgewicht zu halten, denn er hatte sich die große Tasche seiner Mama um den Hals gehängt. Darin steckte das Foto. Er wollte damit in die Stadt, um bei der Lokalzeitung zu fragen, ob sie zur Feier seines zweiten Geburtstags nicht vielleicht sein Porträt auf die erste Seite drucken könnten. Aber Krähe war nie zu Kaffee und Kuchen zurückgekommen. Bis heute.

»Diese Tasche?«, fragte ich Krähes Mutter. »Ist das deine?« Ich ging hin und sah mir die Stofftasche genauer an. »Ist das gar kein indisches Muster?«

»Ach woher!«, sagte die Mama. »Das sind doch traditionelle norwegische Schnörkel! Schau nur! Schnörkel, Schnörkel!«

Ja, natürlich, die Tasche war norwegisch! Ich hatte gedacht, es wäre irgend so ein alter Hippiefetzen, den Krähe auf dem Flohmarkt ausgegraben hatte.

Krähe konnte sich auch nicht daran erinnern, dass die Tasche noch aus seiner Kindheit stammte. Jetzt sammelte er ein bisschen verschämt die kaputte Troddel auf, die sich während unserer Reise aufgeribbelt hatte. Der Papa legte die Flügel um seine Familie.

»Kommt alle miteinander!«, sagte er. »Jetzt wird gefeiert! Es gibt norwegische Spezialitäten: Karamellkäse!«

Ich blieb zwischen den Wandteppichen stehen. Der Papa hatte mich nicht einmal angesehen, als er »alle miteinander« gesagt hatte. Er hatte ganz vergessen, dass ich auch noch da war. Dabei hatte ich doch bewusstlos auf seinem Sofa gelegen.

Ich wartete noch eine Weile vergeblich darauf, dass Krähe zurückkommen und mich holen würde, dann kletterte ich den dreien hinterher. Es war ein merkwürdiges Gefühl, zurück in den Baum zu kommen. Das Sofa war genauso, wie ich es in Erinnerung hatte. Aus Holz und mit einer ganz dünnen Decke.

Erstaunlich, wie groß der Baum von innen ist, dachte ich. Abgesehen von dem Sofa hatten die norwegischen Krähen im Untergeschoss auch noch Platz für einen Küchentisch und eine Anrichte. Außerdem gab es eine Spüle, ein paar Hocker, einen Couchtisch, ein schönes altes Büffet (mit Blumen und Schnörkeln), einen Wandspiegel, Kleiderhaken und den üblichen Kram, den man zu Hause eben so hat.

Ich war sehr beeindruckt und neugierig auf den oberen Stock. Aber es war nicht der richtige Zeitpunkt, um über die Einrichtung zu reden. Drüben auf dem Sofa war großes Hallo und Gejubel. Eine richtige Party. Der Papa hob sein Saftglas.

»Prost!«, rief er. »Auf Krähe!« Alle stießen miteinander an. Als Nächster hob Krähe sein Glas.

»Prost! Auf Mama und Papa!« Alle machten mit. Dann wollte die Mama auch auf jemanden anstoßen. Sie hob ihr Glas.

»Prost!«, juchzte sie. »Auf … Auf …«

Ja, auf wen sollten sie jetzt anstoßen? Ich wartete. Die Mama wühlte in ihrem Gedächtnis. Da kam Krähe ihr zu Hilfe.

»Auf Karamellkäse!«, rief er und alle stimmten mit ein.

»Prooost!«

Ich räusperte mich. »Hrm, hrm. Entschuldigung«, sagte ich. Die Festgesellschaft verstummte und drehte sich zu mir um. »Du, Krähe, ich wollte mich nur kurz erkundigen«, sagte ich, »wann du zurückfahren willst? Ich dachte, ich schaue mal nach den Abfahrtszeiten und so, deshalb wollte ich fragen, wann du dich auf den Heimweg machen möchtest?«

Krähe schwieg. Alle drei sahen mich sehr verständnislos an. Sogar Krähe machte ein Gesicht, als hätte ich ihm eine unlösbare Rechenaufgabe gestellt. Dann wurde sein Blick weicher und er kroch unter dem Flügel seines Papas hervor.

»Ich bin gleich wieder da«, sagte er und kam zu mir. Seine Eltern sahen aus, als würde ihnen gerade jemand die Familienjuwelen stehlen. Wir kletterten nach unten auf die Lichtung.

»Vorn an der Straße fahren ja Busse«, sagte ich. »Wenn deine Eltern uns ein bisschen Geld leihen, dann …«

»Also …«, fiel Krähe mir ins Wort. »Ich werde wohl bleiben.«

Ich sah ihn an. »Ja, ja, kein Problem«, sagte ich. »Ich habe es nicht supereilig, wir können noch ein paar Tage Norwegenurlaub machen, oder auch eine ganze Woche, wenn du willst …«

»Also …«, sagte Krähe wieder. »Hier bleiben. Gar nicht zurückfahren. Bleiben. Wie … hier wohnen.«

Ich hörte, was er sagte, und versuchte, es zu verstehen. »Wohnen? Hier?«, keuchte ich. Aus purer Enttäuschung musste ich zuerst ein bisschen lachen. »Aber Krähe, du wohnst doch zu Hause. Das hier ist doch Urlaub. Wir sind jetzt fertig damit. Ich verstehe ja, dass du noch ein bisschen bleiben und Zeit mit ihnen verbringen willst, aber … Wir wohnen doch zu Hause? Ihr könnt Adressen austauschen und euch Briefe schreiben und jeden Tag telefonieren, aber jetzt müssen wir doch … Wir wohnen doch zu Hause!«

Krähe schüttelte den Kopf. »Ich will hierbleiben und die verlorenen Jahre nachholen«, sagte er. »Bei meinen Eltern sein und

Norwegisch lernen und all so was. Sie wünschen sich auch, dass ich bleibe. Sie haben fast mein ganzes Leben darauf gewartet, dass ich nach Hause komme. Genau wie ich.«

Ich starrte ihn an. Er meinte es wirklich ernst. Er wollte für immer in Schnörkelnorwegen bleiben. Und norwegischen Spezialkäse essen, bis seine Augen karamellig waren. Einfach so und ohne Vorwarnung war ich ihm egal. Ein paar aufgeplusterte Eulen in einem Baum waren ihm wichtiger als ich! Ich schüttelte den Kopf und ging. Krähe rief mir nach.

»Aber das ist doch kein Abschied für immer! Ebba! Du und ich, wir können uns doch schreiben!«

Ich ging ein paar Meter in den Wald hinein. Als ich hinter einem Felsbrocken außer Sicht war, setzte ich mich auf den Boden. Ich wollte mich nicht wieder verirren, auch wenn es mir in diesem Moment ganz passend erschien, spurlos und tragisch zu verschwinden. Ich atmete schwer wie eine Mumie und mein Gesicht war glühend heiß. Tränen liefen mir die Wangen hinunter. Ich versuchte, mir das Leben zu Hause vorzustellen, wie es immer gewesen war – nur ohne Krähe. Es war zu schrecklich. Mein Krähe! Wie konnte er seiner besten Freundin so etwas antun?

Warum kam er denn jetzt nicht? Er müsste doch kommen und mich trösten. Und sich entschuldigen. Ich schluchzte ein bisschen, sodass er es hören konnte. Dann kniete ich mich hin und spähte über den Felsen. Verflixt! Da kam er. Flink wie ein

Panter ging ich wieder Deckung. Aber er hatte trotzdem gesehen, dass ich geguckt hatte. Krähe kam um den Stein herum und setzte sich neben mich. Ich zog die Nase hoch und starrte auf den Boden.

»Also«, sagte Krähe. »Es ist ja nicht so, dass das ein Abschied für immer ist. Aber ich ... Na ja, du hast ja deine Eltern. Und du hattest sie schon immer. Und ich muss jetzt eben hierbleiben und ausprobieren, wie das ist, mit einer Mama und einem Papa. Weil ich immer das Gefühl hatte, dass es nichts Besseres geben kann. Außer einer besten Freundin natürlich. Aber jetzt will ich wissen, wie es wirklich ist, Eltern zu haben. So wie du.«

Ich dachte ein bisschen nach. Dann versuchte ich, mir das normale Leben zu Hause vorzustellen – nur diesmal ohne Mama und Papa. Ich dachte nach und konzentrierte mich, aber es ging nicht. Ich konnte mir unmöglich vorstellen, wie es sein würde, meine Eltern nicht mehr zu haben.

»Aber es fühlt sich so an«, sagte ich schluchzend, »als würdest du mich vielleicht vergessen und nie wieder zurückkommen, und ... Ich dachte doch, dass du und ich für immer zusammen Sachen finden würden. Dass wir zusammenwohnen würden, wenn wir groß sind.«

Krähe tätschelte mir mit dem Flügel die Schulter. »Aber ich vergesse doch nie etwas«, sagte er beruhigend.

»Ha!«, sagte ich. »Bis vor ein paar Tagen hattest du sogar vergessen, dass du Norweger bist!«

Er schwieg einen Moment. »Schon, aber …«, sagte er dann. »Wenn wir uns Briefe schreiben, dann halte ich ja die Erinnerung frisch.«

Er lachte. Er machte Witze. Es sah ihm gar nicht ähnlich, absichtlich Witze zu machen. Es sah ihm viel ähnlicher, lustig zu sein, ohne es eigentlich zu wollen. Ich schaute ihn an.

»Das verstehe ich«, sagte ich. »Wirklich.« Ich sah mich um. »Das hier ist ein schöner Wald. Und nette Krähen. Es tut dir bestimmt gut, ein bisschen in der Natur zu leben, da kannst du sicher viel lernen.«

Krähe nickte. »Ich bleibe höchstens ein paar Jahre«, sagte er. »Irgendwann will man ja auch mal wieder feiern gehen.«

Wir saßen noch ziemlich lange schweigend im Moos. Schließlich kam Krähes Papa nach draußen und rief nach uns. Er und die Mama hatten wohl Angst, dass wir abgehauen wären. Dass ich Krähe in einen Käfig gesperrt und nach Schweden mitgenommen hätte. Wir standen auf und gingen zur Lichtung zurück. Da standen sie beide und sahen nervös aus. Krähe erklärte, dass wir das eine oder andere zu besprechen gehabt hätten, er und ich, da ich ja bald nach Schweden zurückführe. Und er selbst bleiben würde. Die Eltern atmeten auf. Dann begrüßten wir uns richtig und ich bedankte mich für den Saft. Krähes Papa war immer noch ganz zittrig vor Rührung und wedelte mir mit den Flügeln durchs Gesicht. Ein vertrautes und wehmütiges Gefühl.

»Vielen, vielen Dank«, sagte Krähes Papa.

»Ja-a«, stimmte seine Frau ihm zu. »Das alles haben wir wirklich dir zu verdanken.«

Endlich hatten sie etwas kapiert.

Die Sonne war untergegangen. Es war kühl und still im norwegischen Wald. Ich beschloss, direkt abzureisen und die Familie allein zu lassen. Das war wohl das, was sie am liebsten wollten. Ich bekam ein Proviantpaket von Krähes Eltern mit auf den Weg und ich muss bestimmt nicht erwähnen, dass der Käse karamellbraun war.

Als ich dort stand, bereit zur Abreise, kam Krähe zu mir.

»Du kannst das hier haben«, sagte er. »Bis wir uns wiedersehen.«

Das Foto. Es war mit Tesafilm repariert. Darauf war er ganz der Alte. Er würde mir für alle Zeiten mit offenem Schnabel von der schwedisch-norwegischen Grenze zukrähen. Auch wenn Krähe sich ein bisschen verändert hatte, seit wir nicht mehr in Schweden waren – so würde er immer bleiben: flatterig und flaumig. Komisch und kindisch. Oh, wie lieb ich ihn hatte.

»Dann hast du etwas, das du anschauen kannst, wenn du mich vermisst«, sagte er. »Hier zu Hause haben wir jedenfalls so viele Fotos von mir, dass ich es nicht mehr brauche.«

»Danke«, sagte ich. Er hatte schon angefangen, diesen Wald hier zu Hause zu nennen.

Ja, ja, dachte ich. Dann ist es wohl so.

Ich umarmte Krähe. Er war warm und sein Herz klopfte ein bisschen. Ich schüttelte seinen Eltern die Flügel und dann wanderte ich durch die Bäume davon. Jetzt brauchte ich niemanden mehr, der mir zeigte, wohin ich gehen musste. Diesen Weg würde ich nie wieder vergessen.

Die Zweige knackten unter meinen Füßen. Als ich ein Stück gegangen war, drehte ich mich um und blickte zurück. Krähe stand noch immer im Gras und sah mir nach. Ein paar Sekunden lang schauten wir uns an. Dann nahm Krähe Anlauf und sprang hoch in die Luft.

»Heja, heja!«, rief er, dass es durch den ganzen Wald hallte. »Heja, heja!« Wie ein kleiner Gummiball hopste er auf der Stelle. »Heja, heja, heja, heja! Heeej!«

Er hob den Flügel. Ich lachte, drehte mich wieder um und setzte meinen Weg fort. Danach schaute ich nicht mehr nach hinten. Aber ich wusste, dass Krähe dort stand und mir nachsah, bis er mich nicht mehr sehen konnte.

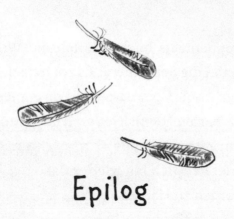

Epilog

Ich fand den kleinen Schotterweg, zu dem ich am selben Morgen schon mal getragen worden war, und nur vier Tage später war ich wieder zu Hause. Ich stand oben auf dem Nygatsbacken, wo Krähe und ich uns am ersten Tag unserer Reise getroffen hatten. Ich war glücklich. Weil ich wusste, dass Krähe glücklich war.

Dann schaute ich die Straße hinunter. Dort unten konnte ich das gelbe Haus mit dem Turm auf dem Dach sehen. Mein Haus. Ich spürte, dass es genau der richtige Zeitpunkt war, zurückzukommen. Ich spürte, dass mein Herz hüpfte und Purzelbäume machte, wenn ich daran dachte, dass dort drinnen meine Mama und mein Papa auf mich warteten.

Ich fing an zu rennen, den Hügel hinunter. Ich rannte am Schuhgeschäft vorbei, am Sandwich-Café und am Blumenladen. Ich lächelte, als ich alles wiedersah, es fühlte sich so neu an. Dann riss ich unsere grüne Haustür auf und stürmte die vielen

Stufen im Treppenhaus hoch. Als ich die Wohnungstür aufmachte, knarrten die Scharniere. Es roch nach Zitronensuppe. Mein Lieblingsessen. Da wusste ich, dass meine Eltern mich sehr vermisst hatten, denn weder Mama noch Papa waren große Fans von Zitronensuppe.

»Hallo!«, rief ich. »Ich bin wieder da!«

Endlich war ich zu Hause.

Inzwischen liegt jener frühe Morgen Anfang Juni schon lange zurück. Es ist lange her, dass Krähe und ich per Anhalter zu unserer abenteuerlichen Reise aufgebrochen sind. Mittlerweile ist es Winter geworden und ich muss eine Mütze und dicke Handschuhe anziehen, wenn ich den Nygatsbacken hinaufstapfe.

Ich denke oft an Krähe. Und ich hoffe, dass er mich irgendwann besuchen kommt.

Frida Nilsson, geb. 1979 in Örebro, Schweden, arbeitete als Moderatorin für das schwedische Kinderfernsehen und schreibt seit 2004 äußerst erfolgreich Kinderbücher. In Schweden wird sie von der Presse gerne mit Roald Dahl verglichen, der einer ihrer Lieblingsautoren ist. Viele ihrer Geschichten sind für das schwedische Kinderradio vertont worden. Für *Hedvig! Im Pferdefieber* wurde Frida Nilsson 2006 für den Augustpreis nominiert; 2014 wurde sie mit dem Astrid-Lindgren-Priset für ihr Gesamtwerk ausgezeichnet. Sie war mehrfach für den Deutschen Jugendliteraturpreis nominiert. 2019 erhielt sie den James Krüss Preis für internationale Kinder- und Jugendliteratur und den Jahres-Luchs der ZEIT für *Sasja und das Reich jenseits des Meeres*.

Bei Gerstenberg sind von ihr außerdem erschienen: *Siri und die Eismeerpiraten*; *Sasja und das Reich jenseits des Meeres*; *Sem und Mo im Land der Lindwürmer*; *Hedvig! Das erste Schuljahr – Im Pferdefieber*; *Hedvig! Die Prinzessin von Hardemo*; *Ich und Jagger gegen den Rest der Welt*; *Frohe Weihnachten, Zwiebelchen!* und *Krähes wilder Piratensommer*.

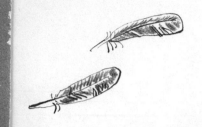

Friederike Buchinger, geb. 1973, übersetzt seit 2001 aus dem Dänischen, Norwegischen und Schwedischen und hegt dabei eine besondere Liebe zu Kinderbüchern im Allgemeinen und den schrägen, unangepassten im Besonderen. Sie war mehrfach für den Deutschen Jugendliteraturpreis nominiert. 2019 wurde sie mit dem James Krüss Preis für internationale Kinder- und Jugendliteratur ausgezeichnet; für ihre Übersetzung von *Sasja und das Reich jenseits des Meeres* mit dem Jahres-Luchs 2019 der ZEIT.

Anke Kuhl, geb. 1970, lebt und arbeitet in Frankfurt am Main. Sie hat freie Kunst an der Universität Mainz und visuelle Kommunikation an der HFG Offenbach studiert und arbeitet seit ihrem Abschluss 1998 als freie Illustratorin und Grafikerin in der Ateliergemeinschaft »labor«. 2002 wurde sie mit dem Troisdorfer Bilderbuchstipendium ausgezeichnet, 2011 mit dem Deutschen Jugendliteraturpreis und 2020 mit dem Max und Moritz-Preis für den besten Comic für Kinder.

3. Auflage 2023
Die Originalausgabe erschien erstmals 2004
unter dem Titel *Kråkans otroliga liftarsemester* bei Natur & Kultur, Stockholm.
Copyright © Frida Nilsson und Natur & Kultur, Stockholm 2004
German edition published in agreement with Koja Agency
Deutsche Ausgabe Copyright © 2022 Gerstenberg Verlag, Hildesheim
Alle Rechte vorbehalten
Übersetzung: Friederike Buchinger
Umschlag- und Innenillustrationen: Anke Kuhl
Druck und Bindung: Druckerei Beltz, Bad Langensalza
Printed in Germany
www.gerstenberg-verlag.de
ISBN 978-3-8369-6146-2

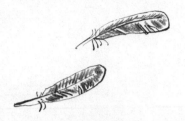

Friederike Buchinger, geb. 1973, übersetzt seit 2001 aus dem Dänischen, Norwegischen und Schwedischen und hegt dabei eine besondere Liebe zu Kinderbüchern im Allgemeinen und den schrägen, unangepassten im Besonderen. Sie war mehrfach für den Deutschen Jugendliteraturpreis nominiert. 2019 wurde sie mit dem James Krüss Preis für internationale Kinder- und Jugendliteratur ausgezeichnet; für ihre Übersetzung von *Sasja und das Reich jenseits des Meeres* mit dem Jahres-Luchs 2019 der ZEIT.

Anke Kuhl, geb. 1970, lebt und arbeitet in Frankfurt am Main. Sie hat freie Kunst an der Universität Mainz und visuelle Kommunikation an der HFG Offenbach studiert und arbeitet seit ihrem Abschluss 1998 als freie Illustratorin und Grafikerin in der Ateliergemeinschaft »labor«. 2002 wurde sie mit dem Troisdorfer Bilderbuchstipendium ausgezeichnet, 2011 mit dem Deutschen Jugendliteraturpreis und 2020 mit dem Max und Moritz-Preis für den besten Comic für Kinder.

3. Auflage 2023

Die Originalausgabe erschien erstmals 2004

unter dem Titel *Kråkans otroliga liftarsemester* bei Natur & Kultur, Stockholm.

Copyright © Frida Nilsson und Natur & Kultur, Stockholm 2004

German edition published in agreement with Koja Agency

Deutsche Ausgabe Copyright © 2022 Gerstenberg Verlag, Hildesheim

Alle Rechte vorbehalten

Übersetzung: Friederike Buchinger

Umschlag- und Innenillustrationen: Anke Kuhl

Druck und Bindung: Druckerei Beltz, Bad Langensalza

Printed in Germany

www.gerstenberg-verlag.de

ISBN 978-3-8369-6146-2